LA PLANÈTE
DES SINGES

PIERRE BOULLE

LA PLANÈTE
DES SINGES

JULLIARD

© René Julliard, 1963.

ISBN 2-266-02653-4

PREMIÈRE PARTIE

CHAPITRE PREMIER

Jinn et Phyllis passaient des vacances merveilleuses, dans l'espace, le plus loin possible des astres habités.

En ce temps-là, les voyages interplanétaires étaient communs ; les déplacements intersidéraux, non exceptionnels. Les fusées emportaient des touristes vers les sites prodigieux de Sirius, ou des financiers vers les Bourses fameuses d'Arcturus et d'Aldébaran. Mais Jinn et Phyllis, un couple de riches oisifs, se signalaient dans le cosmos par leur originalité et par quelques grains de poésie. Ils parcouraient l'univers pour leur plaisir — à la voile.

Leur navire était une sorte de sphère dont l'enveloppe — la voile — miraculeusement fine et légère, se déplaçait dans l'espace, poussée par la pression des radiations lumineuses. Un tel engin, abandonné à lui-même dans le voisinage d'une étoile (assez loin cependant pour que le champ de gravitation ne soit pas trop intense) se dirigera toujours en ligne droite dans la direction opposée à celle-ci ; mais comme le système stellaire de Jinn et Phyllis comprenait trois soleils, relativement peu éloignés les uns des autres, leur embarcation recevait des coups de lumière suivant trois axes différents. Jinn avait alors imaginé un procédé extrêmement ingénieux pour se diriger. Sa voile était doublée intérieurement par une série de stores noirs, qu'il pouvait enrouler ou dérouler à volonté, ce qui changeait la

5

résultante des pressions lumineuses, en modifiant le pouvoir réflecteur de certaines sections. De plus, cette enveloppe élastique pouvait se dilater ou se contracter au gré du navigateur. Ainsi, quand Jinn désirait accélérer l'allure, il lui donnait le plus grand diamètre possible. Elle prenait alors le souffle des radiations sur une surface énorme et le vaisseau se précipitait dans l'espace à une vitesse folle, qui donnait le vertige à son amie Phyllis ; un vertige qui le saisissait à son tour et qui les faisait s'étreindre passionnément, le regard perdu au loin vers les abîmes mystérieux où les entraînait leur course. Quand, au contraire, ils désiraient ralentir, Jinn appuyait sur un bouton. La voile se rétrécissait jusqu'à devenir une sphère assez grande pour les contenir tous les deux, serrés l'un contre l'autre. L'action de la lumière devenait négligeable et cette boule minuscule, réduite à sa seule inertie, paraissait immobile, comme suspendue dans le vide par un fil invisible. Les deux jeunes gens passaient des heures paresseuses et enivrantes dans cet univers réduit, édifié à leur mesure pour eux seuls, que Jinn comparait à un voilier en panne et Phyllis à la bulle d'air de l'araignée sous-marine.

Jinn connaissait bien d'autres tours, considérés comme le comble de l'art par les cosmonautes à voile ; par exemple, celui d'utiliser, pour virer de bord, l'ombre des planètes et celle de certains satellites. Il enseignait sa science à Phyllis, qui devenait presque aussi habile que lui et souvent plus téméraire. Quand elle tenait la barre, il lui arrivait de tirer des bordées qui les entraînaient aux confins de leur système stellaire, dédaignant tel orage magnétique qui commençait à bouleverser les ondes lumineuses et à secouer leur esquif comme une coquille de noix. En deux ou trois occasions, Jinn, réveillé en sursaut par la tempête, avait dû se fâcher pour lui arracher le gouvernail et mettre en marche d'urgence, afin de regagner le port au plus vite, la fusée auxiliaire qu'ils mettaient un point d'honneur à n'utiliser que dans des circonstances périlleuses.

Ce jour-là, Jinn et Phyllis étaient allongés côte à côte, au centre de leur ballon, sans autre souci que de jouir de leurs vacances en se laissant griller par les rayons de leurs trois soleils. Jinn, les yeux clos, ne songeait qu'à son amour pour Phyllis. Couchée sur le flanc, Phyllis regardait l'immensité du monde et se laissait hypnotiser, comme cela lui arrivait souvent, par la sensation cosmique du néant.

Elle sortit soudain de son rêve, fronça le sourcil et se dressa à demi. Un éclair insolite avait traversé ce néant. Elle attendit quelques secondes et perçut un nouvel éclat, comme un rayon se reflétant sur un objet brillant. Le sens du cosmos, qu'elle avait acquis au cours de ses croisières, ne pouvait la décevoir. D'ailleurs, Jinn, alerté, fut de son avis, et il était inconcevable que Jinn fît une erreur en cette matière : un corps étincelant sous la lumière flottait dans l'espace, à une distance qu'ils ne pouvaient encore préciser. Jinn saisit des jumelles et les braqua sur l'objet mystérieux, tandis que Phyllis s'appuyait sur son épaule.

« C'est un objet de petite taille, dit-il. Cela semble être du verre... Laisse-moi donc regarder. Il se rapproche. Il va plus vite que nous. On dirait... »

Son visage devint sérieux. Il laissa tomber les jumelles, dont elle s'empara aussitôt.

« C'est une bouteille, chérie.

— Une bouteille ! »

Elle regarda à son tour.

« Une bouteille, oui. Je la vois distinctement. Elle est en verre clair. Elle est bouchée ; je vois le cachet. Il y a un objet blanc à l'intérieur... du papier, un manuscrit, sûrement. Jinn, il nous faut l'attraper ! »

C'était bien l'avis de Jinn, qui avait déjà commencé à effectuer des manœuvres savantes pour se placer sur la trajectoire du corps insolite. Il y parvint rapidement et réduisit la vitesse de la sphère pour se laisser rattraper. Pendant ce temps, Phyllis revêtait son scaphandre et elle sortit de la voile par la double trappe. Là, se tenant d'une main à une corde, de l'autre brandissant une épuisette à long manche, elle s'apprêta à pêcher la bouteille.

Ce n'était pas la première fois qu'ils croisaient des corps étranges et l'épuisette avait déjà servi. Naviguant à petite allure, parfois complètement immobiles, ils avaient connu des surprises et fait des découvertes interdites aux voyageurs des fusées. Dans son filet, Phyllis avait déjà ramassé des débris de planètes pulvérisées, des fragments de météorites venus du fond de l'univers et des morceaux de satellites lancés au début de la conquête de l'espace. Elle était très fière de sa collection ; mais c'était la première fois qu'ils rencontraient une bouteille, et une bouteille contenant un manuscrit — de cela elle ne doutait plus. Tout son corps frémissait d'impatience, tandis qu'elle gesticulait comme une araignée au bout d'un fil, criant dans son téléphone à son compagnon :

« Plus lentement, Jinn... Non, un peu plus vite ; elle va nous dépasser ; à bâbord... à tribord... laisse aller... Je l'ai ! »

Elle poussa un cri de triomphe et rentra à bord avec sa prise.

C'était une bouteille de grande taille, dont le goulot avait été soigneusement scellé. On distinguait un rouleau de papier à l'intérieur.

« Jinn, casse-la, dépêche-toi ! » clama Phyllis en trépignant.

Plus calme, Jinn faisait voler les morceaux de cire avec méthode. Mais quand la bouteille fut ainsi ouverte, il s'aperçut que le papier, coincé, ne pouvait sortir. Il se résigna à céder aux supplications de son amie et brisa le verre d'un coup de marteau. Le papier se déroula de lui-même. Il se composait d'un grand nombre de feuillets très minces, couverts d'une écriture fine. Le manuscrit était écrit dans le langage de la Terre, que Jinn connaissait parfaitement, ayant fait une partie de ses études sur cette planète.

Un malaise le retenait pourtant de commencer à lire

un document tombé entre leurs mains d'une manière si bizarre ; mais la surexcitation de Phyllis le décida. Elle comprenait mal, elle, le langage de la Terre et avait besoin de son aide.

« Jinn, je t'en supplie ! »

Il réduisit le volume de la sphère de façon qu'elle flottât mollement dans l'espace, s'assura qu'aucun obstacle ne se dressait devant eux, puis s'allongea auprès de son amie et commença à lire le manuscrit.

CHAPITRE II

Je confie ce manuscrit à l'espace, non dans le dessein d'obtenir du secours, mais pour aider, peut-être, à conjurer l'épouvantable fléau qui menace la race humaine. Dieu ait pitié de nous... !

« *La race* humaine ? *souligna Phyllis, étonnée.*

– C'est ce qui est écrit, confirma Jinn. Ne m'interromps pas dès le début. » Et il reprit sa lecture.

Pour moi, Ulysse Mérou, je suis reparti avec ma famille dans le vaisseau cosmique. Nous pouvons subsister pendant des années. Nous cultivons à bord des légumes, des fruits et nous élevons une basse-cour. Nous ne manquons de rien. Peut-être trouverons-nous un jour une planète hospitalière. C'est un souhait que j'ose à peine formuler. Mais voici, fidèlement rapporté, le récit de mon aventure.

C'est en l'an 2500 que je m'embarquai avec deux compagnons dans le vaisseau cosmique, avec l'intention d'atteindre la région de l'espace où trône en souveraine l'étoile supergéante Bételgeuse.

C'était un projet ambitieux, le plus vaste qui eût jamais été formé sur la Terre. Bételgeuse, alpha d'Orion, comme l'appelaient nos astronomes, se trouve à environ trois cents années-lumière de notre planète. Elle est remarquable par bien des points. D'abord, par sa taille : son diamètre mesure de trois cents à quatre cents fois celui de notre soleil, c'est-à-dire que si son centre était amené en coïncidence avec celui de cet astre, ce monstre s'étendrait jusqu'à l'orbite de Mars. Par son éclat : c'est une étoile de première grandeur, la plus brillante de la constellation d'Orion, visible de la Terre à l'œil nu, malgré son éloignement. Par la nature de son rayonnement : elle émet des feux rouges et orange du plus magnifique effet. Enfin, c'est un astre d'éclat variable : sa luminosité varie avec le temps, ceci étant causé par des altérations de son diamètre. Bételgeuse est une étoile palpitante.

Pourquoi, après l'exploration du système solaire, dont toutes les planètes sont inhabitées, pourquoi un astre aussi éloigné fut-il choisi comme but du premier vol intersidéral ? C'est le savant professeur Antelle qui imposa cette décision. Principal organisateur de l'entreprise, à laquelle il consacra la totalité d'une énorme fortune, chef de notre expédition, il avait lui-même conçu le vaisseau cosmique et dirigé sa construction. Il m'expliqua la raison de ce choix pendant le voyage.

« Mon cher Ulysse, disait-il, il n'est pas plus difficile et il est à peine plus long pour nous d'atteindre Bételgeuse qu'une étoile beaucoup plus proche, Proxima du Centaure, par exemple. »

Ici, je crus bon de protester et d'étaler des connaissances astronomiques fraîchement acquises.

« A peine plus long ! Pourtant, l'étoile Proxima du Centaure n'est qu'à quatre années-lumière, tandis que Bételgeuse...

— Est à trois cents, je ne l'ignore pas. Pourtant nous ne mettrons guère plus de deux ans pour y parvenir, alors qu'il nous aurait fallu une durée très légèrement inférieure pour arriver dans la région de Proxima du Centaure. Vous croyez le contraire parce que vous êtes habitué à ces sauts de puce que sont les voyages dans nos planètes, pour lesquels une forte accélération est admissible au départ, parce qu'elle ne dure que quelques minutes, la vitesse de croisière à atteindre étant ridiculement faible et hors de proportion avec la nôtre... Il est temps que je vous donne quelques explications sur la marche de notre navire.

« Grâce à ses fusées perfectionnées, que j'ai l'honneur d'avoir mises au point, ce vaisseau peut se déplacer à la plus grande vitesse imaginable dans l'univers pour un corps matériel, c'est-à-dire la vitesse de la lumière moins *epsilon*.

— Moins *epsilon* ?

— Je veux dire qu'il peut s'en approcher d'une quantité infinitésimale, de l'ordre du milliardième, si vous voulez.

— Bon, dis-je. Je comprends cela.

— Ce que vous devez savoir aussi, c'est que, lorsque nous nous déplaçons à cette allure, notre temps s'écarte sensiblement du temps de la Terre, l'écart étant d'autant plus grand que nous allons plus vite. En ce moment même, depuis le début de cette conversation, nous avons vécu quelques minutes, qui correspondent à une durée de plusieurs mois sur notre planète. A la limite, le temps ne s'écoulera presque plus pour nous, sans d'ailleurs que nous nous apercevions d'un changement quelconque. Quelques secondes pour vous et moi, quelques battements de notre cœur coïncideront avec une durée terrestre de plusieurs années.

— Je comprends encore cela. C'est même la raison pour laquelle nous pouvons espérer arriver au but avant d'être morts. Mais alors, pourquoi un voyage de deux ans ? Pourquoi pas quelques jours ou quelques heures seulement ?

— C'est là que je veux en venir. Tout simplement parce que, pour atteindre cette vitesse où le temps ne s'écoule plus, avec une accélération acceptable pour notre organisme, il nous faudra environ un an. Une autre année nous sera nécessaire pour ralentir notre course. Saisissez-vous alors notre plan de vol ? Douze mois d'accélération ; douze mois de freinage ; entre les deux, quelques heures seulement, pendant lesquelles nous accomplirons la plus grande partie du trajet. Et vous comprenez en même temps pourquoi il n'est guère plus long d'aller vers Bételgeuse que vers Proxima du Centaure. Dans ce dernier cas, nous aurions vécu la même année, indispensable, d'accélération ; la même année de décélération, et peut-être quelques minutes au lieu de quelques heures entre les deux. La différence est insignifiante sur l'ensemble. Comme je me fais vieux et n'aurai sans doute plus jamais la force d'effectuer une autre traversée, j'ai préféré viser tout de suite un point éloigné, avec l'espoir d'y trouver un monde très différent du nôtre.

Ce genre de conversation occupait nos loisirs à bord et, en même temps, me faisait mieux apprécier la prodigieuse science du professeur Antelle. Il n'était pas de domaine qu'il n'eût exploré et je me félicitais d'avoir un tel chef dans une entreprise aussi hasardeuse. Comme il l'avait prévu, le voyage dura environ deux ans de notre temps, pendant lesquels trois siècles et demi durent passer sur la Terre. C'était là le seul inconvénient d'avoir visé si loin : si nous revenions un jour, nous trouverions notre planète vieillie de sept cents à huit cents ans. Mais nous ne nous en soucions guère. Je soupçonnais même que la perspective d'échapper aux hommes de sa génération était un attrait supplémentaire pour le professeur. Il avouait souvent que ceux-ci le lassaient...

« *Les hommes, toujours les hommes, remarqua encore Phyllis.*

— Les hommes, confirma Jinn. C'est écrit. »

Nous n'eûmes aucun incident de vol sérieux. Nous étions partis de la Lune. La Terre et les planètes disparurent très vite. Nous avions vu le soleil décroître jusqu'à devenir comme une orange dans le ciel, une prune, puis un point brillant sans dimensions, une simple étoile que la science du professeur pouvait seule déceler parmi les milliards d'étoiles de la galaxie.

Nous vécûmes donc sans soleil, mais nous n'en souffrîmes pas, le vaisseau étant pourvu de sources lumineuses équivalentes. Nous ne connûmes pas l'ennui non plus. La conversation du professeur était passionnante ;

je m'instruisis davantage pendant ces deux années que pendant ma précédente existence. J'appris aussi tout ce qu'il était utile de connaître pour la conduite du vaisseau. C'était assez facile : il suffisait de donner des instructions aux appareils électroniques, qui effectuaient tous les calculs et commandaient directement les manœuvres.

Notre jardin nous procura des distractions agréables. Il occupait une place important à bord. Le professeur Antelle, qui s'intéressait, entre autres matières, à la botanique et à l'agriculture, avait voulu profiter du voyage pour vérifier certaines de ses théories sur la croissance des plantes dans l'espace. Un compartiment cubique de près de dix mètres de côté servait de terrain. Grâce à des étagères, tout le volume y était utilisé. La terre était régénérée par des engrais chimiques et, deux mois à peine après notre départ, nous eûmes la joie de voir pousser toutes sortes de légumes, qui nous fournissaient en abondance une nourriture saine. L'agréable n'avait pas été oublié : une section était réservée aux fleurs, que le professeur soignait avec amour. Cet original avait aussi emporté quelques oiseaux, des papillons et même un singe, un petit chimpanzé que nous avions baptisé Hector et qui nous amusait de ses tours.

Il est certain que le savant Antelle, sans être misanthrope, ne s'intéressait guère aux humains. Il déclarait souvent qu'il n'attendait plus grand-chose d'eux et ceci explique...

« Misanthrope ? *fit encore Phyllis, interloquée.* Humains ?

— *Si tu m'interromps à chaque instant, remarqua Jinn, nous n'arriverons jamais à la fin. Fais comme moi ; essaie de comprendre.* »

Phyllis jura de garder le silence jusqu'au bout de la lecture, et elle tint parole.

... Ceci explique sans doute qu'il ait rassemblé dans le vaisseau — assez vaste pour contenir plusieurs familles — de nombreuses espèces végétales, quelques animaux, en limitant à trois le nombre des passagers : lui-même,

Arthur Levain, son disciple, un jeune physicien de grand avenir, et moi, Ulysse Mérou, journaliste peu connu, qui avais rencontré le professeur au hasard d'une interview. Il avait proposé de m'emmener après s'être aperçu que je n'avais pas de famille et que je jouais convenablement aux échecs. C'était une occasion exceptionnelle pour un jeune journaliste. Même si mon reportage ne devait être publié que dans huit cents ans, peut-être à cause de cela, il aurait une valeur unique. J'avais accepté avec enthousiasme.

Le voyage se passa donc sans anicroche. Le seul désagrément fut une pesanteur accrue pendant l'année d'accélération et pendant celle du freinage. Nous dûmes nous accoutumer à sentir notre corps peser environ une fois et demie son poids de la Terre, phénomène un peu fatigant au début, mais auquel nous ne prîmes bientôt plus garde. Entre ces deux périodes, il y eut une absence totale de gravité, avec toutes les bizarreries connues de ce phénomène ; mais cela ne dura que quelques heures et nous n'en souffrîmes pas.

Et, un jour, après cette longue traversée, nous eûmes l'émotion de voir l'étoile Bételgeuse s'inscrire dans le ciel avec un aspect nouveau.

CHAPITRE III

L'exaltation que procure un pareil spectacle ne peut être décrite : une étoile, hier encore point brillant parmi la multitude des points anonymes du firmament, se détacha peu à peu du fond noir, s'inscrivit dans l'espace avec une dimension, apparaissant d'abord comme une noix étincelante, puis se dilata en même temps que la teinte s'affirmait pour devenir semblable à une orange, s'intégra enfin dans le cosmos avec le même diamètre apparent que notre astre du jour familier. Un nouveau soleil était né pour nous, un soleil rougeâtre, comme le nôtre à son déclin, dont nous ressentions déjà l'attraction et la chaleur.

Notre vitesse était alors très réduite. Nous nous approchâmes encore de Bételgeuse, jusqu'à ce que son diamètre apparent excédât de loin celui de tous les corps célestes contemplés jusqu'alors, ce qui produisit sur nous une impression fabuleuse. Antelle donna quelques indications aux robots et nous nous mîmes à graviter autour de la supergéante. Alors, le savant déploya ses instruments astronomiques et commença ses observations.

Il ne fut pas long à découvrir l'existence de quatre planètes, dont il détermina rapidement les dimensions, et les distances à l'astre central. L'une d'elles, la deuxième à partir de Bételgeuse, se mouvait sur une trajectoire voisine de la nôtre. Elle avait à peu près le

16

volume de la Terre ; elle possédait une atmosphère contenant oxygène et azote ; elle tournait autour de Bételgeuse à une distance égale à trente fois environ celle de la Terre au Soleil, en recevant un rayonnement comparable à celui que capte notre planète, grâce à la taille de la supergéante et compte tenu de sa température relativement basse.

Nous décidâmes de la prendre comme premier objectif. De nouvelles instructions ayant été données aux robots, notre vaisseau fut très vite satellisé autour d'elle. Alors, les moteurs arrêtés, nous observâmes à loisir ce nouveau monde. Le télescope nous y montra des mers et des continents.

Le vaisseau se prêtait mal à un atterrissage ; mais le cas était prévu. Nous disposions de trois engins à fusée, beaucoup plus petits, que nous appelions des chaloupes. C'est dans l'un d'eux que nous prîmes place, emportant quelques appareils de mesure et emmenant avec nous Hector, le chimpanzé, qui disposait comme nous d'un scaphandre et avait été habitué à s'en accommoder. Quant à notre navire, nous le laissâmes simplement graviter autour de la planète. Il était là plus en sécurité qu'un paquebot à l'ancre dans un port et nous savions qu'il ne dériverait pas d'une ligne de son orbite.

Aborder une planète de cette nature était une manœuvre facile avec notre chaloupe. Dès que nous eûmes pénétré dans les couches denses de l'atmosphère, le professeur Antelle préleva des échantillons de l'air extérieur et les analysa. Il leur trouva la même composition que sur la Terre, à une altitude correspondante. Je n'eus guère le temps de réfléchir à cette miraculeuse coïncidence, car le sol approchait rapidement ; nous n'en étions plus qu'à quelque cinquante kilomètres. Les robots effectuant toutes les opérations, je n'avais rien d'autre à faire que coller mon visage au hublot et regarder monter vers moi ce monde inconnu, le cœur enflammé par l'exaltation de la découverte.

La planète ressemblait étrangement à la Terre. Cette impression s'accentuait à chaque seconde. Je distinguais maintenant à l'œil nu le contour des continents. L'atmosphère était claire, légèrement colorée d'une teinte vert pâle, tirant par moments sur l'orangé, un peu comme dans notre ciel de Provence au soleil couchant. L'océan était d'un bleu léger, avec également des nuances vertes. Le dessin des côtes était très différent de tout ce que j'avais vu chez nous, quoique mon œil enfiévré, suggestionné par tant d'analogies, s'obstinât follement à découvrir là aussi des similitudes. Mais la ressemblance s'arrêtait là. Rien, dans la géographie, ne rappelait notre ancien ni notre nouveau continent.

Rien ? Allons donc ! L'essentiel, au contraire ! La planète était habitée. Nous survolions une ville ; une ville assez grande, d'où rayonnaient des routes bordées d'arbres, sur lesquelles circulaient des véhicules. J'eus le temps d'en distinguer l'architecture générale : de larges rues ; des maisons blanches, avec de longues arêtes rectilignes.

Mais nous devions atterrir bien loin de là. Notre course nous entraîna d'abord au-dessus de champs cultivés, puis d'une forêt épaisse, de teinte rousse, qui rappelait notre jungle équatoriale. Nous étions maintenant à très basse altitude. Nous aperçûmes une clairière d'assez grandes dimensions, qui occupait le sommet d'un plateau, alors que le relief environnant était assez tourmenté. Notre chef décida de tenter l'aventure et donna ses derniers ordres aux robots. Un système de rétrofusées entra en action. Nous fûmes immobilisés quelques instants au-dessus de la clairière, comme une mouette guettant un poisson.

Ensuite, deux années après avoir quitté notre Terre, nous descendîmes très doucement et nous nous posâmes sans heurt au centre du plateau, sur une herbe verte qui rappelait celle de nos prairies normandes.

CHAPITRE IV

Nous restâmes un assez long moment immobiles et silencieux, après avoir pris contact avec le sol. Peut-être cette attitude paraîtra-t-elle surprenante, mais nous éprouvions le besoin de nous recueillir et de concentrer notre énergie. Nous étions plongés dans une aventure mille fois plus extraordinaire que celle des premiers navigateurs terrestres et nous préparions notre esprit à affronter les étrangetés qui ont traversé l'imagination de plusieurs générations de poètes à propos des expéditions transsidérales.

Pour le présent, en fait de merveilles, nous nous étions posés sans à-coup sur l'herbe d'une planète qui contenait, comme la nôtre, des océans, des montagnes, des forêts, des cultures, des villes et certainement des habitants. Nous devions, cependant, nous trouver assez loin des pays civilisés, étant donné l'étendue de jungle survolée avant de toucher le sol.

Nous sortîmes enfin de notre rêve. Ayant revêtu nos scaphandres, nous ouvrîmes avec précaution un hublot de la chaloupe. Il n'y eut aucun mouvement d'air. Les pressions intérieure et extérieure s'équilibraient. La forêt entourait la clairière comme les murailles d'une forteresse. Ancun bruit, aucun mouvement ne la troublaient. La température était élevée, mais supportable : environ vingt-cinq degrés centigrades.

Nous sortîmes de la chaloupe, accompagnés d'Hector. Le professeur Antelle tint d'abord à analyser l'atmosphère d'une manière précise. Le résultat fut encourageant : l'air avait la même composition que celui de la Terre, malgré quelques différences dans la proportion des gaz rares. Il devait être parfaitement respirable. Cependant, par excès de prudence, nous tentâmes d'abord l'épreuve sur notre chimpanzé. Débarrassé de son costume, le singe parut fort heureux et nullement incommodé. Il était comme grisé de se retrouver libre, sur le sol. Après quelques gambades, il se mit à courir vers la forêt, sauta sur un arbre et continua ses cabrioles dans les branches. Il s'éloigna bientôt et disparut, malgré nos gestes et nos appels.

Alors ôtant nous-mêmes nos scaphandres, nous pûmes nous parler librement. Nous fûmes impressionnés par le son de notre voix, et c'est avec timidité que nous nous hasardâmes à faire quelques pas, sans nous éloigner de la chaloupe.

Il n'est pas douteux que nous étions sur une sœur jumelle de notre Terre. La vie existait. Le règne végétal était même particulièrement vigoureux. Certains de ces arbres devaient dépasser quarante mètres de hauteur. Le règne animal ne tarda pas à nous apparaître sous la forme de gros oiseaux noirs, planant dans le ciel comme des vautours, et d'autres plus petits, assez semblables à des perruches qui se poursuivaient en pépiant. D'après ce que nous avions vu avant l'atterrissage, nous savions qu'une civilisation existait aussi. Des êtres raisonnables — nous n'osions pas encore dire des hommes — avaient modelé la face de la planète. Autour de nous, pourtant, la forêt paraissait inhabitée. Cela n'avait rien de surprenant : tombant au hasard dans quelque coin de la jungle asiatique, nous eussions éprouvé la même impression de solitude.

Avant toute initiative, il nous parut urgent de donner un nom à la planète. Nous la baptisâmes *Soror*, en raison de sa ressemblance avec notre Terre.

Décidant de faire sans plus tarder une première reconnaissance, nous nous engageâmes dans la forêt, suivant une sorte de piste naturelle. Arthur Levain et moi-même étions munis de carabines. Quant au professeur, il dédaignait les armes matérielles. Nous nous sentions légers et marchions allégrement, non que la pesanteur fût plus faible que sur la Terre — là aussi, il y avait analogie totale — mais le contraste avec la forte gravité du vaisseau nous incitait à sauter comme des cabris.

Nous progressions en file indienne, appelant parfois Hector, toujours sans succès, quand le jeune Levain, qui marchait en tête, s'arrêta et nous fit signe d'écouter. Un bruissement, comme de l'eau qui s'écoule, s'entendait à quelque distance. Nous avançâmes dans cette direction et le bruit se précisa.

C'était une cascade. En la découvrant, nous fûmes tous trois émus par la beauté du site que nous offrait Soror. Un cours d'eau, clair comme nos torrents de montagne, serpentait au-dessus de nos têtes, s'étalait en nappe sur une plate-forme, et tombait à nos pieds d'une hauteur de plusieurs mètres dans une sorte de lac, une piscine naturelle bordée de rochers mêlés de sable, dont la surface reflétait les feux de Bételgeuse alors à son zénith.

La vue de cette eau était si tentante que la même envie nous saisit, Levain et moi. La chaleur était maintenant très forte. Nous quittâmes nos vêtements, prêts à piquer une tête dans le lac. Mais le professeur Antelle nous fit comprendre que l'on doit agir avec un peu plus de prudence quand on vient seulement d'aborder le système de Bételgeuse. Ce liquide n'était peut-être pas de l'eau et pouvait fort bien être pernicieux. Il s'approcha du bord, s'accroupit, l'examina, puis le toucha du doigt avec précaution. Finalement, il en prit un peu dans le creux de la main, le huma et en humecta le bout de sa langue.

« Cela ne peut être que de l'eau », marmonna-t-il.

Il se penchait de nouveau pour plonger la main dans le lac, quand nous le vîmes s'immobiliser. Il poussa une exclamation et tendit le doigt vers la trace qu'il venait

CHAPITRE V

« C'est un pied de femme », affirma Arthur Levain.

Cette remarque péremptoire, faite d'une voix oppressée, ne me surprit en aucune façon. Elle traduisait mon propre sentiment. La finesse, l'élégance, la singulière beauté de l'empreinte m'avaient profondément agité. Aucun doute ne pouvait naître quant à l'humanité du pied. Peut-être appartenait-il à un adolescent ou à un homme de petite taille, mais beaucoup plus vraisemblablement, et je le souhaitais de toute mon âme, à une femme.

« Soror est donc habitée par des humains », murmura le professeur Antelle.

Il y avait une nuance de déconvenue dans sa voix, qui me le rendit, en cet instant, un peu moins sympathique. Il haussa les épaules d'un geste qui lui était familier et se mit à inspecter avec nous le sable autour du lac. Nous découvrîmes d'autres traces, manifestement laissées par la même créature. Levain, qui s'était écarté de l'eau, nous en signala une sur le sable sec. L'empreinte, elle-même était encore humide.

« Elle était là il y a moins de cinq minutes, s'écria le jeune homme.

— Elle était en train de se baigner, nous a entendus venir et s'est enfuie. »

C'était devenu pour nous une évidence implicite qu'il s'agissait d'une femme. Nous restâmes silencieux, épiant la forêt, sans entendre même le bruit d'une branche cassée.

« Nous avons bien le temps, dit le professeur Antelle, en haussant de nouveau les épaules. Mais si un être humain se baignait ici, nous pouvons sans doute le faire sans danger. »

Sans plus de façons, le grave savant se débarrassa à son tour de ses vêtements et plongea son corps maigre dans la piscine. Après notre long voyage, le plaisir de ce bain, dans une eau fraîche et délicieuse, nous faisait presque oublier notre récente découverte. Seul, Arthur Levain paraissait songeur et absent. J'allais le plaisanter sur son air mélancolique, quand j'aperçus la femme, juste au-dessus de nous, juchée sur la plate-forme rocheuse d'où tombait la cascade.

Jamais je n'oublierai l'impression que me causa son apparition. Je retins ma respiration devant la merveilleuse beauté de cette créature de Soror, qui se révélait à nous, éclaboussée d'écume, illuminée par le rayonnement sanglant de Bételgeuse. C'était une femme ; une jeune fille, plutôt, à moins que ce ne fût une déesse. Elle affirmait avec audace sa féminité à la face de ce monstrueux soleil, entièrement nue, sans autre ornement qu'une chevelure assez longue qui lui tombait sur les épaules. Certes, nous étions privés de point de comparaison depuis deux années, mais aucun de nous n'était enclin à se laisser abuser par des mirages. Il était évident que la femme qui se tenait immobile sur la plate-forme, comme une statue sur un piédestal, possédait le corps le plus parfait qui pût se concevoir sur la Terre. Levain et moi restâmes sans souffle, éperdus d'admiration, et je crois bien que le professeur Antelle, lui-même, était touché.

Debout, penchée en avant, la poitrine tendue vers nous, les bras légèrement relevés en arrière dans l'attitude d'une plongeuse qui prend son élan, elle nous observait et sa surprise devait égaler la nôtre. Après l'avoir contemplée un long moment, j'étais si bouleversé que je ne pouvais discerner en elle des détails ; l'ensemble de sa forme m'hypnotisait. Ce fut après plusieurs minutes que je distinguai qu'elle appartenait à la race blanche, que sa peau était dorée, plutôt que bronzée, qu'elle était grande, sans excès, et mince. Ensuite, j'entrevis comme dans un rêve un visage d'une pureté singulière. Enfin, je regardai ses yeux.

Alors, mes facultés d'observation furent réveillées, mon attention se fit plus aiguë et je tressaillis, car là, dans son regard, il y avait un élément nouveau pour moi. Là, je décelai la touche insolite, mystérieuse, à laquelle nous nous attendions tous dans un monde si éloigné du nôtre. Mais j'étais incapable d'analyser et même de définir la nature de cette étrangeté. Je sentais seulement une différence essentielle avec les individus de notre espèce. Elle ne tenait pas à la couleur des yeux : ils étaient d'un gris assez peu courant chez nous, mais non exceptionnel. L'anomalie était dans leur émanation : une sorte de vide, une absence d'expression, me rappelant une pauvre démente que j'avais connue autrefois. Mais non ! ce n'était pas cela, ce ne pouvait être de la folie.

Lorsqu'elle s'aperçut qu'elle était elle-même un objet de curiosité, plus précisément lorsque mon regard rencontra le sien, elle parut recevoir un choc et se détourna brusquement, d'un geste mécanique aussi prompt que celui d'un animal apeuré. Ce n'était pas par pudeur d'être ainsi surprise. J'avais la conviction qu'il eût été extravagant de la supposer capable d'un tel sentiment. Simplement, son regard n'aimait pas ou ne pouvait pas soutenir le mien. La tête de profil, elle nous épiait maintenant à la dérobée, du coin de l'œil.

« Je vous l'avais dit, c'est une femme », murmura le jeune Levain.

Il avait parlé d'une voix étranglée par l'émotion, presque basse ; mais la jeune fille l'entendit et le son de la voix produisit chez elle un effet singulier. Elle eut un mouvement de recul subit, si preste que je le comparai encore au réflexe d'un animal effaré, hésitant avant de prendre la fuite. Elle s'arrêta toutefois après avoir fait deux pas en arrière, les rochers cachant alors la plus grande partie de son corps. Je ne distinguais plus que le haut de son visage et un œil qui nous épiait encore.

Nous n'osions faire un geste, torturés par la crainte de la voir s'enfuir. Notre attitude la rassura. Au bout d'un moment, elle s'avança de nouveau au bord de la plate-forme. Mais le jeune Levain était décidément bien trop surexcité pour pouvoir tenir sa langue.

« Jamais je n'ai vu... », commença-t-il.

Il s'arrêta, comprenant son imprudence. Elle s'était encore reculée de la même façon, comme si la voix humaine la terrifiait.

Le professeur Antelle nous fit signe de nous taire et se remit à barboter dans l'eau sans paraître lui accorder la moindre attention. Nous adoptâmes la même tactique, qui obtint un plein succès. Non seulement, elle s'approcha de nouveau, mais elle manifesta bientôt un intérêt visible pour nos évolutions, un intérêt qui s'exprimait d'une manière assez insolite, excitant davantage notre curiosité. Avez-vous jamais observé sur une plage un jeune chien craintif, dont le maître se baigne ? Il meurt d'envie de le rejoindre, mais n'ose pas. Il fait trois pas dans un sens, trois pas dans l'autre, s'éloigne, revient, secoue la tête, frétille. Tel était exactement le comportement de cette fille.

Et soudain, nous l'entendîmes ; mais les sons qu'elle proféra ajoutaient encore à l'impression d'animalité que donnait son attitude. Elle était alors à l'extrême limite de son perchoir, à croire qu'elle allait se précipiter dans le lac. Elle avait interrompu un instant son espèce de danse. Elle ouvrit la bouche. J'étais un peu à l'écart et pouvais l'observer sans être remarqué. Je pensais qu'elle allait parler, crier. J'attendais un appel. J'étais préparé au langage le plus barbare, mais non pas à ces sons étranges qui sortirent de sa gorge ; très précisément de sa gorge, car la bouche ni la langue n'avaient aucune part dans cet espèce de miaulement ou de piaulement aigu, qui semblait une fois de plus traduire la frénésie joyeuse d'un animal. Dans nos jardins zoologiques, parfois, les jeunes chimpanzés jouent et se bousculent en poussant de petits cris semblables.

Comme interloqués, nous nous forcions à continuer de nager sans nous soucier d'elle, elle parut prendre un parti. Elle s'accroupit sur le rocher, prit un appui sur ses mains et commença de descendre vers nous. Elle était d'une agilité singulière. Son corps doré se déplaçait rapidement le long de la paroi, nous apparaissant éclaboussé d'eau et de lumière, comme une vision féerique, à travers la mince lame transparente de la cascade. En quelques instants, s'accrochant à des saillies imperceptibles, elle fut au niveau du lac, à genoux sur une pierre plate. Elle nous observa encore quelques secondes, puis se mit à l'eau et nagea vers nous.

Nous comprîmes qu'elle voulait jouer et, sans nous être concertés, nous continuâmes avec ardeur des ébats qui l'avaient si bien mise en confiance, corrigeant nos façons dès qu'elle semblait effarouchée. Il en résulta, au bout de très peu de temps, un jeu dont elle avait inconsciemment établi les règles, jeu étrange en vérité, présentant quelque analogie avec les évolutions de phoques dans un bassin, qui consistait à nous fuir et à nous poursuivre alternativement, à bifurquer brusquement dès que nous nous sentions près d'être atteints et à nous rapprocher jusqu'à nous frôler sans jamais entrer en contact. C'était puéril ; mais que n'eussions-nous fait pour apprivoiser la belle inconnue ! Je remarquai que le professeur Antelle participait à ce batifolage avec un plaisir non dissimulé.

Cette séance durait depuis déjà longtemps, et nous commencions à nous essouffler, quand je fus frappé par un caractère paradoxal de la physionomie de cette fille : son sérieux. Elle était là, prenant un plaisir évident à ces amusements qu'elle inspirait, et jamais un sourire n'avait éclairé son visage. Cela me causait depuis un moment un malaise confus, dont la raison précise m'échappait et que je fus soulagé de découvrir :

elle ne riait ni ne souriait ; elle émettait seulement de temps en temps un de ces petits cris de gorge qui devaient exprimer sa satisfaction.

Je voulus tenter une expérience. Comme elle s'approchait de moi, fendant l'eau de sa nage particulière, qui ressemblait à celle des chiens, sa chevelure déployée derrière elle comme la queue d'une comète, je la regardai dans les yeux et, avant qu'elle eût le temps de se détourner, je lui décochai un sourire chargé de toute l'amabilité et de toute la tendresse dont j'étais capable.

Le résultat fut surprenant. Elle s'arrêta de nager, prit pied dans l'eau qui lui arrivait jusqu'à la taille et tendit ses mains crispées en avant dans un geste de défense. Puis elle me tourna le dos et s'enfuit vers la rive. Sortie du lac, elle hésita, se retourna à demi, m'observant en oblique comme sur la plate-forme, avec l'air perplexe d'un animal qui vient de contempler un spectacle alarmant. Peut-être eût-elle repris confiance, car le sourire s'était figé sur mes lèvres et je m'étais remis à nager d'un air innocent, mais un nouvel incident renouvela son émoi. Nous entendîmes du bruit dans la forêt et, dégringolant de branche en branche, notre ami Hector nous apparut, toucha le sol et s'avança vers nous en gambadant, tout joyeux de nous avoir retrouvés. Je fus saisi de voir l'expression bestiale, faite d'épouvante et de menace, qui s'inscrivit sur le visage de la fille quand elle aperçut le singe. Elle se replia sur elle-même, incrustée dans les rochers jusqu'à se fondre avec eux, tous ses muscles tendus, les reins cambrés, les mains crispées comme des griffes. Tout cela, pour un aimable petit chimpanzé qui s'apprêtait à nous faire fête.

Ce fut lorsqu'il passa tout près d'elle, sans la remarquer, qu'elle bondit. Son corps se détendit comme un arc. Elle l'empoigna à la gorge et ferma ses mains autour du cou, pendant qu'elle immobilisait le malheureux dans l'étau de ses cuisses. Son agression fut si rapide que nous n'eûmes pas le temps d'intervenir. Le singe se débattit à peine. Il se raidit au bout de quelques secondes et tomba mort quand elle le lâcha. Cette radieuse créature — dans un élan romantique de mon cœur je l'avais baptisée « Nova », ne pouvant comparer son apparition qu'à celle d'un astre éclatant — Nova avait proprement étranglé un animal familier et inoffensif.

Quand, revenus de notre stupeur, nous nous précipitâmes vers elle, il était bien trop tard pour sauver Hector. Elle tourna la tête vers nous comme si elle allait faire front, les bras de nouveau tendus en avant, les lèvres retroussées, dans une attitude menaçante qui nous cloua sur place. Puis elle poussa un dernier cri aigu, qui pouvait être interprété comme un chant de triomphe ou un hurlement de colère, et s'enfuit dans la forêt. En quelques secondes, elle disparut dans la broussaille, qui se referma sur son corps doré, nous laissant interdits au milieu de la jungle redevenue silencieuse.

CHAPITRE VI

« Une sauvagesse, dis-je, appartenant à quelque race attardée comme on en trouve en Nouvelle-Guinée ou dans nos forêts d'Afrique ? »

J'avais parlé sans aucune conviction. Arthur Levain me demanda presque avec violence, si j'avais jamais remarqué une allure et une finesse de formes pareilles parmi les peuplades primitives. Il avait cent fois raison et je ne sus que répondre. Le professeur Antelle, qui paraissait méditer profondément, nous avait cependant écoutés.

« Les peuples les plus primitifs de chez nous ont un langage, finit-il par dire. Celle-ci ne parle pas. »

Nous fîmes une ronde dans les environs du cours d'eau, sans trouver la moindre trace de l'inconnue. Alors, nous retournâmes vers notre chaloupe, dans la clairière. Le professeur songeait à repartir dans l'espace, pour tenter un autre atterrissage dans une région plus civilisée. Mais Levain proposa d'attendre au moins vingt-quatre heures sur place pour essayer d'établir d'autres contacts avec les habitants de cette jungle. Je soutins cette suggestion qui, finalement, prévalut. Nous n'osions nous avouer que l'espoir de revoir l'inconnue nous tenait attachés à ces lieux.

La fin de la journée se passa sans incident ; mais, vers le soir, après voir admiré le fantastique coucher de Bételgeuse, dilatée à l'horizon au-delà de toute imagination humaine, nous eûmes l'impression d'un changement autour de nous. La jungle s'animait de craquements et de frémissements furtifs, et nous nous sentions épiés à travers le feuillage par des yeux invisibles. Nous passâmes cependant une nuit sans alerte, barricadés dans notre chaloupe, faisant le guet à tour de rôle. Au petit jour, la même sensation nous assaillit encore et il me sembla entendre de petits cris aigus, comme ceux que Nova proférait la veille. Mais aucune des créatures dont notre esprit enfiévré peuplait la forêt ne se montra.

Nous décidâmes alors de retourner à la cascade et, tout le long du trajet, nous fûmes obsédés par cette impression énervante d'être suivis et observés par des êtres qui n'osaient pas se montrer. Pourtant, Nova, la veille, était venue nous rejoindre.

« Ce sont peut-être nos vêtements qui les effraient », dit soudain Arthur Levain.

Ceci me parut un trait de lumière. Je me rappelai distinctement que Nova, lorsqu'elle s'enfuyait après avoir étranglé notre singe, s'était trouvée devant le tas de nos habits. Elle avait fait alors un écart brusque pour les éviter, comme un cheval ombrageux.

« Nous verrons bien. »

Et, plongeant dans le lac, après nous être dévêtus, nous recommençâmes à jouer comme la veille, indifférents en apparence à tout ce qui nous entourait.

La même ruse obtint le même succès. Au bout de quelques minutes, nous aperçûmes la fille sur la plateforme rocheuse, sans l'avoir entendue venir. Elle n'était pas seule. Un homme se tenait auprès d'elle, un homme bâti comme nous, semblable aux hommes de la Terre, entièrement nu lui aussi, d'âge mûr, et dont certains traits rappelaient ceux de notre déesse, si bien que j'imaginai qu'il était son père. Il nous regardait comme elle le faisait, dans une attitude de perplexité et d'émoi.

Et il y en avait beaucoup d'autres. Nous les découvrîmes peu à peu, tandis que nous nous efforcions de conserver notre feinte indifférence. Ils sortaient furtivement de la forêt et formaient graduellement un cercle continu autour du lac. C'étaient tous de solides, de beaux échantillons d'humanité, hommes, femmes à la peau dorée, s'agitant maintenant, paraissant en proie à une grande surexcitation et émettant parfois de petits cris.

Nous étions cernés, et assez inquiets en nous rappelant l'incident du chimpanzé. Mais leur attitude n'était pas menaçante ; ils semblaient seulement intéressés, eux aussi, par nos évolutions.

C'était bien cela. Bientôt, Nova — Nova que je considérais déjà comme une vieille connaissance — se laissa glisser dans l'eau et les autres l'imitèrent peu à peu avec plus ou moins d'hésitation. Tous approchèrent et nous recommençâmes à nous poursuivre comme la veille à la manière des phoques, avec la différence qu'il y avait maintenant autour de nous une vingtaine de ces créatures étranges, barbotant, s'ébrouant, tous avec un visage sérieux marquant un singulier contraste avec ces enfantillages.

Au bout d'un quart d'heure de ce manège, je commençai à m'en lasser. Était-ce pour nous conduire comme des gamins que nous avions abordé l'univers de Bételgeuse ? J'avais presque honte de moi-même et j'étais peiné de constater que le savant Antelle semblait prendre beaucoup de plaisir à ce jeu. Mais que pouvions-nous faire d'autre ! On imagine mal la difficulté d'entrer en contact avec des êtres qui ignorent la parole et le sourire. Je m'y employai pourtant. J'esquissai des gestes qui avaient la prétention d'être significatifs. Je joignis les mains dans une attitude aussi amicale que possible, m'inclinant en même temps, un peu à la façon des Chinois. Je leur adressai des baisers avec la main. Aucune de ces manifestations n'éveilla le moindre écho. Aucune lueur de compréhension n'apparut dans leur prunelle.

Quand nous avions discuté, pendant le voyage, de nos rencontres éventuelles avec des êtres vivants, nous évoquions des créatures difformes, monstrueuses, d'un aspect physique très différent du nôtre, mais nous supposions toujours implicitement chez elles la présence de l'*esprit*. Sur la planète Soror, la réalité paraissait complètement opposée : nous avions affaire à des habitants semblables à nous au point de vue physique, mais qui paraissaient totalement dénués de raison. C'était bien cela la signification de ce regard qui m'avait troublé chez Nova et que je retrouvais chez tous les autres : le manque de réflexion consciente ; l'absence d'âme.

Ils ne s'intéressaient qu'au jeu. Encore fallait-il que ce jeu fût bien stupide ! Ayant eu l'idée d'y introduire un semblant de cohérence, tout en restant à leur portée, nous nous prîmes tous trois par la main et, dans l'eau jusqu'à la ceinture, nous esquissâmes une ronde, élevant et abaissant les bras en cadence, comme auraient fait de très jeunes enfants. Ceci ne parut les toucher d'aucune manière. La plupart s'écartèrent de nous ; certains se mirent à nous contempler avec une absence de compréhension si évidente que nous restâmes nous-mêmes interloqués.

Et ce fut l'intensité de notre désarroi qui provoqua le drame. Nous étions si décontenancés de nous découvrir ainsi, trois hommes rassis dont l'un était une célébrité mondiale, nous tenant par la main, en train de danser une ronde enfantine sous l'œil narquois de Bételgeuse, que nous ne pûmes garder notre sérieux. Nous avions subi une telle contrainte depuis un quart d'heure qu'une détente nous était nécessaire. Nous fûmes secoués par un éclat de rire insensé, qui nous tordit en deux pendant plusieurs secondes, sans que nous puissions le maîtriser.

Alors, cette explosion d'hilarité éveilla enfin un écho chez ces hommes, mais certes pas celui que nous souhaitions. Une sorte de tempête agita le lac. Ils se mirent à fuir dans toutes les directions, dans un état d'affolement qui nous eût paru risible en d'autres circonstances. Au bout de quelques instants, nous nous trouvâmes seuls dans l'eau. Ils avaient fini par se ras-

CHAPITRE VII

L'assaut fut donné alors que nous parvenions en vue de la clairière, avec une soudaineté qui nous interdit toute défense. Débouchant des fourrés comme des chevreuils, les hommes de Soror furent sur nous avant que nous eussions pu épauler nos armes.

Ce qu'il y avait de curieux dans cette agression, c'est qu'elle n'était pas exactement dirigée contre nos personnes. J'en eus l'intuition immédiate, qui bientôt se précisa. A aucun moment, je ne me sentis en danger de mort, comme l'avait été Hector. Ils n'en voulaient pas à notre vie, mais à nos vêtements et à tous les accessoires que nous portions. En un instant, nous fûmes immobilisés. Un tourbillon de mains fureteuses nous arrachaient armes, munitions et sacs pour les jeter au loin, tandis que d'autres s'acharnaient à nous dépouiller de nos habits pour les lacérer. Quand j'eus compris ce qui excitait leur fureur, je me laissai faire avec passivité et, si je fus un peu griffé, je ne reçus aucune blessure sérieuse. Antelle et Levain m'imitèrent et nous nous retrouvâmes bientôt nus comme des vers, au milieu d'un groupe d'hommes et de femmes qui, visiblement rassurés de nous revoir ainsi, se remirent à jouer autour de nous, nous serrant de trop près toutefois pour nous permettre de fuir.

Ils étaient maintenant au moins une centaine aux abords de la clairière. Ceux qui n'étaient pas tout près de nous se ruèrent alors sur notre chaloupe avec une furie comparable à celle qui leur avait fait mettre en pièce nos vêtements. Malgré le désespoir que je ressentais à les voir saccager notre précieux véhicule, je réfléchissais à leur conduite et il me semblait pouvoir en dégager un principe essentiel : ces êtres étaient mis en rage par les *objets*. Tout ce qui était *fabriqué* excitait leur colère, et aussi leur frayeur. Quand ils avaient saisi un instrument quelconque, ils ne le gardaient à la main que le temps de le briser, le déchirer ou le tordre. Ensuite, ils le rejetaient vivement au loin comme si c'eût été un fer rouge, quitte à le reprendre ensuite pour parfaire sa destruction. Ils me faisaient songer à un chat se battant avec un gros rat à demi mort, mais encore dangereux, ou à une mangouste ayant attrapé un serpent. J'avais déjà noté comme un fait curieux qu'ils nous eussent attaqués sans aucune arme, sans même se servir d'un bâton.

Nous assistâmes, impuissants à la mise à sac de notre chaloupe. La porte avait vite cédé à leur poussée. Ils se ruèrent à l'intérieur et détruisirent tout ce qui pouvait être détruit, en particulier les instruments de bord les plus précieux dont ils dispersèrent les débris. Ce pillage dura un long moment. Ensuite, comme l'enveloppe métallique restait seule intacte, ils revinrent vers notre groupe. Nous fûmes bousculés, tiraillés et finalement entraînés par eux au plus profond de la jungle.

Notre situation devenait de plus en plus alarmante. Désarmés, dépouillés, obligés de marcher pieds nus à une allure trop rapide pour nous, nous ne pouvions ni échanger nos impressions ni même nous plaindre. Toute velléité de conversation provoquait des réflexes si menaçants que nous dûmes nous résigner à un silence douloureux. Et pourtant, ces créatures étaient des hommes comme nous. Habillés et coiffés, ils n'auraient guère attiré l'attention dans notre monde. Leurs femmes étaient toutes belles sans qu'aucune pût rivaliser avec la splendeur de Nova.

Celle-ci nous suivait de près. A plusieurs reprises, comme j'étais harcelé par mes gardes, je tournai la tête vers elle, implorant une marque de compassion qu'il me sembla surprendre une fois sur son visage. Mais ce n'était, je crois, que le fait de mon désir de l'y trouver. Dès que mon regard accrochait le sien, elle cherchait à l'éviter, sans que son œil exprimât d'autre sentiment que la perplexité.

Ce calvaire dura plusieurs heures. J'étais accablé de fatigue, les pieds ensanglantés, le corps couvert d'égratignures causées par les ronces, à travers lesquelles les hommes de Soror se faufilaient sans dommage comme des serpents. Mes compagnons n'étaient pas en meilleur état que moi et Antelle trébuchait à chaque pas, quand nous arrivâmes enfin en un lieu qui semblait être le but de cette course. La forêt y était moins épaisse et les buissons avaient fait place à une herbe courte. Là, nos gardes nous lâchèrent et, sans plus s'occuper de nous, se mirent de nouveau à jouer en se poursuivant à travers les arbres, ce qui paraissait la principale occupation de leur existence. Nous tombâmes sur le sol, hébétés par la fatigue, profitant de ce répit pour nous concerter à voix basse.

Il fallait toute la philosophie de notre chef pour nous empêcher de sombrer dans un noir découragement. Le soir tombait. Nous pouvions sans doute réussir une évasion en profitant de l'inattention générale ; mais où aller ? Même si nous parvenions à refaire le chemin parcouru, nous n'avions aucune chance de pouvoir utiliser la chaloupe. Il nous parut plus sage de rester sur place et de tenter d'amadouer ces êtres déconcertants. D'autre part, la faim nous tenaillait.

Nous nous levâmes et fîmes quelques pas timides. Ils continuèrent leurs jeux insensés sans se soucier de nous. Seule, Nova semblait ne pas nous avoir oubliés. Elle se mit à nous suivre à distance, détournant toujours la tête quand nous la regardions. Après avoir erré au hasard, nous découvrîmes que nous étions dans une sorte de campement, où les abris n'étaient même pas de huttes, mais des espèces de nids, comme en font les grands singes de notre forêt africaine : quelques branchages entrelacés, sans aucun lien, posés sur le sol ou encastrés dans la fourche des branches basses. Certains de ces nids étaient occupés. Des hommes et des femmes — je ne vois pas par quel autre nom je les désignerais — étaient tapis là, souvent par couples, assoupis, pelotonnés l'un contre l'autre à la manière des chiens frileux. D'autres abris, plus étendus, servaient à des familles entières et nous aperçûmes plusieurs enfants endormis, qui me parurent tous beaux et bien portants.

Cela n'apportait aucune solution au problème alimentaire. Enfin, nous aperçûmes au pied d'un arbre une famille qui s'apprêtait à manger ; mais leur repas n'était guère fait pour nous tenter. Ils dépeçaient, sans l'aide d'aucun instrument, un assez gros animal, qui ressemblait à un cerf. Avec leurs ongles et leurs dents, ils en arrachaient des morceaux de chair crue, qu'ils dévoraient, après en avoir seulement détaché des lanières de peau. Il n'y avait aucune trace de foyer dans les environs. Ce festin nous soulevait le cœur et d'ailleurs après nous être approchés de quelques pas, nous comprîmes que nous n'étions en aucune façon conviés à le partager ; au contraire ! Des grondements nous écartèrent bien vite.

Ce fut Nova qui vint à notre secours. Le fit-elle parce qu'elle avait fini par comprendre que nous avions faim ? Pouvait-elle vraiment *comprendre* quelque chose ? Où bien parce qu'elle était affamée elle-même ? En tout cas, elle s'approcha d'un arbre de haute taille, enserra le tronc de ses cuisses, s'éleva ainsi jusqu'aux branches et disparut dans le feuillage. Quelques instants après, nous vîmes tomber sur le sol une profusion de fruits qui ressemblaient à des bananes. Puis elle redescendit, en ramassa deux ou trois et se mit à les dévorer en nous regardant. Après quelques hésitations, nous nous enhardîmes à l'imiter. Les fruits étaient assez bons et nous parvînmes à nous rassasier pendant qu'elle nous observait sans protester. Après avoir bu l'eau d'un ruisseau, nous décidâmes de passer la nuit là.

Chacun de nous choisit son coin d'herbe pour y construire un nid semblable à ceux de la cité. Nova fut intéressée par notre manège, au point même de s'approcher de moi pour m'aider à briser une branche récalcitrante.

Je fus ému par ce geste, dont le jeune Levain ressentit un dépit tel qu'il se coucha immédiatement, s'enfouit dans la verdure et nous tourna le dos. Quant au professeur Antelle, il dormait déjà tant il était recru.

Je m'attardai à terminer ma couche, toujours observé par Nova, qui s'était un peu reculée. Quand je m'étendis à mon tour, elle resta un long moment immobile, comme indécise ; puis elle s'aprocha à petits pas hésitants. Je ne fis pas un geste, de crainte de l'effaroucher. Elle se coucha à côté de moi. Je ne bougeai toujours pas. Elle finit pas se peletonner contre moi, et rien ne nous distingua des autres couples qui occupaient les nids de cette étrange tribu. Mais quoique cette fille fût d'une merveilleuse beauté, je ne la considérais pas, alors, comme une femme. Ses façons étaient celles d'un animal familier qui cherche la chaleur de son maître. J'appréciai la tiédeur de son corps, sans qu'il me vînt à l'esprit de la désirer. Je finis par m'endormir dans cette position extravagante, à demi mort de fatigue, serré contre une créature étrangement belle et incroyablement inconsciente, après avoir à peine accordé un coup d'œil à un satellite de Soror, plus petit que notre Lune, qui répandait sur la jungle une lueur jaunâtre.

CHAPITRE VIII

Le ciel blanchissait à travers les arbres quand je me réveillai. Nova dormait encore. Je la contemplai en silence et soupirai en me rappelant sa cruauté envers notre pauvre singe. Elle avait été aussi, sans doute, à l'origine de notre mésaventure, en nous signalant à ses compagnons. Mais comment lui en garder rancune devant l'harmonie de son corps ?

Elle bougea soudain et dressa la tête. Une lueur d'effroi passa dans sa prunelle et je sentis ses muscles se durcir. Devant mon immobilité, cependant, sa physionomie s'adoucit peu à peu. Elle se souvenait ; elle parvint pour la première fois à soutenir mon regard pendant un moment. Je considérai cela comme une victoire personnelle et, oubliant son émoi de la veille devant cette manifestation terrestre, je me laissai aller à lui sourire encore.

Sa réaction, cette fois, fut atténuée. Elle tressaillit, tendue de nouveau comme pour prendre son élan, mais resta immobile. Encouragé, j'accentuai mon sourire. Elle frémit encore, mais finit par se calmer, son visage n'exprimant bientôt qu'un immense étonnement. Avais-je réussi à l'apprivoiser ? Je m'enhardis à poser une main sur son épaule. Elle eut un frisson, mais ne bougea toujours pas. J'étais enivré par ce succès ; je le fus bien davantage lorsque j'eus l'impression qu'elle cherchait à m'imiter.

C'était vrai. Elle *essayait* de sourire. Je devinais ses efforts pénibles pour contracter les muscles de sa face délicate. Elle fit ainsi plusieurs tentatives, parvenant seulement à esquisser une sorte de grimace douloureuse. Il y avait un élément émouvant dans ce labeur démesuré d'un être humain vers une expression familière, avec un résultat si pitoyable. Je me sentis soudain bouleversé, empli de commisération comme envers un enfant infirme. J'accentuai la pression de ma main sur son épaule. J'approchai mon visage du sien. J'effleurai ses lèvres. Elle répondit à ce geste en frottant son nez contre le mien, puis en passant sa langue sur ma joue.

J'étais désorienté et indécis. A tout hasard, je l'imitai, avec maladresse. Après tout, j'étais un visiteur étranger et c'était à moi d'adopter les mœurs du grand système de Bételgeuse. Elle parut satisfaite. Nous en étions là de nos tentatives de rapprochement, moi, ne sachant trop comment poursuivre, angoissé à la pensée de commettre quelque bévue avec mes façons de la Terre, quand un effroyable charivari nous fit sursauter.

Mes deux compagnons, que j'avais égoïstement oubliés, et moi-même, nous nous trouvâmes debout dans l'aube naissante. Nova avait fait un bond encore plus rapide et présentait les signes du plus profond affolement. Je compris d'ailleurs tout de suite que ce vacarme n'était pas seulement une mauvaise surprise pour nous, mais pour tous les habitants de la forêt, car tous, abandonnant leurs tanières, s'étaient mis à courir de-ci de-là d'une manière désordonnée. Il ne s'agissait plus d'un jeu, comme la veille ; leurs cris exprimaient une terreur intense.

Ce vacarme, rompant brusquement le silence de la forêt, était de nature à glacer le sang, mais j'avais en outre l'intuition que les hommes de la jungle savaient à quoi s'en tenir et que leur épouvante était due à l'approche d'un danger précis. C'était une cacophonie singulière, un mélange de coups précipités, sourds comme des roulements de tambour, d'autres sons plus discordants ressemblant à un concert de casseroles ; et aussi de cris. Ce furent ces cris qui nous impressionnèrent le plus car, ils étaient incontestablement *humains*.

Le petit jour éclairait dans la forêt une scène insolite : hommes, femmes, enfants couraient en tous sens, se croisant, se bousculant, certains même grimpant aux arbres comme pour y chercher un refuge. Bientôt pourtant, quelques-uns, parmi les plus âgés, s'arrêtèrent pour tendre l'oreille et écouter. Le bruit se rapprochait assez lentement. Il venait de la région où la forêt était la plus dense et semblait émaner d'une ligne continue assez longue. Je le comparai au tapage que font les rabatteurs dans certaines de nos grandes chasses.

Les anciens de la tribu parurent prendre une décision. Ils poussèrent une série de glapissements, qui étaient sans doute des signaux ou des ordres, et s'élancèrent dans la direction opposée du bruit. Tous les autres les suivirent et nous les vîmes galoper autour de nous comme une harde de cerfs débusqués. Nova avait pris son élan, mais elle hésita soudain et se retourna vers nous, vers moi surtout, me sembla-t-il. Elle lança un gémissement plaintif, que je pris pour une invitation à la suivre, puis fit un bond et disparut.

Le tapage devenait plus intense et il me semblait entendre craquer les broussailles comme sous des pas pesants. J'avoue que je perdis mon sang-froid. La sagesse me conseillait pourtant de rester sur place et d'affronter les nouveaux arrivants qui, eux, cela se précisait à chaque seconde, émettaient des cris humains. Mais, après les épreuves de la veille, cet horrible vacarme agissait sur mes nerfs. La terreur de Nova et des autres était passée dans mes veines. Je ne réfléchis pas ; je ne me concertai même pas avec mes compagnons ; je plongeai dans les buissons et pris la fuite moi aussi sur les traces de la jeune fille.

Je parcourus plusieurs centaines de mètres, sans parvenir à la rejoindre, et m'aperçus alors que Levain, seul, m'avait suivi, l'âge du professeur Antelle lui interdisant sans doute pareille course. Il haletait à côté de moi. Nous nous regardâmes, honteux de notre conduite, et j'allais lui proposer de revenir en arrière ou, au moins, d'attendre notre chef, quand d'autres bruits nous firent sursauter.

Pour ceux-là, je ne pouvais faire erreur. C'étaient des coups de feu qui faisaient retentir la jungle : un, deux, trois, puis bien d'autres, à intervalles irréguliers, parfois isolés, parfois deux détonations consécutives rappelant étrangement un doublé de chasseur. On tirait devant nous, sur le chemin pris par les fuyards. Pendant que nous hésitions, la ligne d'où venait le premier vacarme, la ligne des rabatteurs, s'approcha, s'approcha tout près de nous, mettant de nouveau notre cerveau en déroute. Je ne sais pourquoi la fusillade me parut moins redoutable, plus familière que ce tapage de l'enfer. D'instinct, je repris ma course en avant, ayant soin toutefois de me dissimuler dans les buissons et de faire le moins de bruit possible. Mon compagnon me suivit.

Nous arrivâmes ainsi dans la région d'où partaient les détonations. Je ralentis l'allure et m'approchai encore, en rampant presque. Toujours suivi de Levain, je gravis une sorte de butte et m'arrêtai au sommet, haletant. Il n'y avait plus devant moi que quelques arbres et un rideau de broussailles. J'avançai avec précaution ma tête au ras du sol. Là, je restai quelques instants comme assommé, terrassé par une vision hors de proportions avec ma pauvre raison humaine.

CHAPITRE IX

Il y avait plusieurs éléments baroques, certains horribles, dans le tableau que j'avais sous les yeux, mais mon attention fut d'abord retenue tout entière par un personnage, immobile à trente pas de moi, qui regardait dans ma direction.

Je faillis pousser un cri de surprise. Oui, malgré ma terreur, malgré le tragique de ma propre position — j'étais pris entre les rabatteurs et les tireurs — la stupéfaction étouffa tout autre sentiment quand je vis cette créature à l'affût, guettant le passage du gibier. Car cet être était un singe, un gorille de belle taille. J'avais beau me répéter que je devenais fou, je ne pouvais nourrir le moindre doute sur son espèce. Mais la rencontre d'un gorille sur la planète Soror ne constituait pas l'extravagance essentielle de l'événement. Celle-ci tenait pour moi à ce que ce singe était correctement habillé, comme un homme de chez nous, et surtout à l'aisance avec laquelle il portait ses vêtements. Ce *naturel* m'impressionna tout d'abord. A peine eus-je aperçu l'animal qu'il me parut évident qu'il n'était pas du tout *déguisé*. L'état dans lequel je le voyais était normal, aussi normal pour lui que la nudité pour Nova et ses compagnons.

Il était habillé comme vous et moi, je veux dire comme nous serions habillés si nous participions à une de ces battues, organisées chez nous pour les ambassadeurs ou autres personnnages importants, dans nos grandes chasses officielles. Son veston de couleur brune semblait sortir de chez le meilleur tailleur parisien et laissait voir une chemise à gros carreaux, comme en portent nos sportifs. La culotte, légèrement bouffante au-dessus des mollets, se prolongeait par une paire de guêtres. Là s'arrêtait la ressemblance ; au lieu de souliers, il portait de gros gants noirs.

C'était un gorille, vous dis-je ! Du col de la chemise sortait la hideuse tête terminée en pain de sucre, couverte de poils noirs, au nez aplati et aux mâchoires saillantes. Il était là, debout, un peu penché en avant, dans la posture du chasseur à l'affût, serrant un fusil dans ses longues mains. Il se tenait en face de moi, de l'autre côté d'une large trouée pratiquée dans la forêt perpendiculairement à la direction de la battue.

Soudain, il tressaillit. Il avait perçu comme moi un léger bruit dans les buissons, un peu sur ma droite. Il tourna la tête en même temps qu'il relevait son arme, prêt à épauler. De mon perchoir, j'aperçus le sillage laissé dans la broussaille par un des fuyards, qui courait en aveugle droit devant lui. Je faillis crier pour l'alerter, tant l'intention du singe était évidente. Mais je n'en eus ni le temps ni la force ; déjà l'homme déboulait comme un chevreuil sur le terrain découvert. Le coup de feu retentit alors qu'il atteignait le milieu du champ de tir. Il fit un saut, s'effondra et resta immobile après quelques convulsions.

Mais je n'observai l'agonie de la victime qu'un peu plus tard, mon attention ayant été encore retenue par le gorille. J'avais suivi l'altération de sa physionomie depuis qu'il était alerté par le bruit, et enregistré un certain nombre de nuances surprenantes : d'abord, la cruauté du chasseur qui guette sa proie et le plaisir fiévreux que lui procure cet exercice ; mais par-dessus tout le caractère *humain* de son expression. C'était bien là le motif essentiel de mon étonnement : dans la prunelle de cet animal brillait l'étincelle spirituelle que j'avais vainement cherchée chez les hommes de Soror.

La hantise de ma propre position étouffa bientôt ma

stupeur première. La détonation me fit porter de nouveau le regard vers la victime et je fus le témoin terrifié de ses derniers soubresauts. Je m'aperçus alors avec épouvante que l'allée qui coupait la forêt était parsemée de corps humains. Il ne m'était plus possible de m'illusionner sur le sens de cette scène. J'apercevais un autre gorille semblable au premier à cent pas de là. J'assistais à une battue — j'y participais aussi, hélas ! — une battue fantastique où les chasseurs, postés à intervalles réguliers, étaient des singes et où le gibier traqué était constitué par des hommes, des femmes comme moi, des hommes et des femmes dont les cadavres nus, troués, tordus en des postures ridicules, ensanglantaient le sol.

Je détournai les yeux de cette horreur insoutenable. Je préférais encore la vue du singe grotesque qui me barrait la route. Il avait fait un pas de côté, démasquant un autre singe qui se tenait derrière lui, comme un serviteur auprès de son maître. C'était un chimpanzé de petite taille, un jeune chimpanzé, je le jure, vêtu avec moins de recherche que le gorille, d'un pantalon et d'une chemise, qui jouait prestement son rôle dans l'organisation méticuleuse que je commençais à découvrir. Le chasseur venait de lui tendre son fusil. Le chimpanzé lui en passa un autre, qu'il tenait à la main. Puis, avec des gestes précis, utilisant les cartouches qu'il portait autour de la taille et que les rayons de Bételgeuse faisaient étinceler, le petit singe rechargea l'arme. Ensuite, chacun reprit son poste.

Toutes ces impressions m'avaient affecté en quelques instants. J'aurais voulu réfléchir, analyser ces découvertes ; je n'en avais pas le temps. A mon côté, Arthur Levain, glacé de terreur, était incapable de m'apporter un secours quelconque. Le péril croissait à chaque seconde. Les rabatteurs approchaient derrière nous. Leur tapage devenait étourdissant. Nous étions forcés comme des bêtes sauvages, comme ces malheureuses créatures que je voyais encore passer autour de nous. La population de la cité devait être encore plus importante que je ne l'avais soupçonné, car beaucoup d'hommes déboulaient encore sur la piste, pour y trouver une mort affreuse.

Pas tous, cependant. M'efforçant de recouvrer un peu de sang-froid, j'observai du haut de ma butte le comportement des fuyards. Certains, complètement affolés, se précipitaient en écrasant les buissons à grand bruit, donnant ainsi l'alerte aux singes, qui les abattaient à coup sûr. Mais d'autres faisaient preuve de plus de discernement, comme de vieux sangliers, plusieurs fois traqués, qui ont appris de nombreuses ruses. Ceux-là s'approchaient en tapinois, marquaient un temps d'arrêt à la lisière, observaient à travers les feuilles le chasseur le plus proche et attendaient l'instant où son attention était attirée d'un autre côté. Alors d'un bond, à toute vitesse, ils traversaient l'allée meurtrière. Plusieurs réussirent ainsi à gagner indemnes le taillis d'en face, dans lequel ils disparaissaient.

Il y avait peut-être là une chance de salut. Je fis signe à Levain de m'imiter et me coulai sans bruit jusqu'au dernier fourré avant la piste. Là, je fus envahi par un scrupule saugrenu. Moi, un homme, devais-je vraiment recourir à de telle ruses pour berner un singe ? La seule conduite digne de ma condition n'était-elle pas de me lever, de marcher vers l'animal et de le corriger à coups de bâton ? Le tintamarre grossissant derrière moi réduisit à néant cette folle velléité.

La chasse se terminait dans un vacarme infernal. Les rabatteurs étaient sur nos talons. J'entrevis l'un d'eux émergeant du feuillage. C'était un énorme gorille, qui tapait au hasard avec un gourdin, en hurlant de toute la force de ses poumons. Il me fit une impression encore plus terrible que le chasseur au fusil. Levain se mit à claquer des dents et à trembler de tous ses membres, tandis que je regardais de nouveau devant moi, attendant un instant propice.

Mon malheureux compagnon me sauva inconsciemment la vie par son imprudence. Il avait complètement perdu la raison. Il se leva sans précautions, se mit à courir au hasard et déboucha dans l'allée en plein dans la ligne de tir du chasseur. Il n'alla pas loin. Le coup de feu parut le casser en deux et il s'écroula, ajoutant son cadavre à tous ceux qui jonchaient déjà le sol. Je ne perdis pas de temps à le pleurer — que pouvais-je faire pour lui ? — Je guettai fiévreusement le moment où le gorille allait tendre le fusil à son serviteur. Dès qu'il fit ce geste, je bondis à mon tour et traversai l'allée. Je le vis, comme dans un rêve, se hâter se saisir l'arme, mais j'étais déjà à couvert quand il épaula. J'entendis une exclamation qui ressemblait à un juron, mais je ne perdis pas de temps à méditer sur cette nouvelle bizarrerie.

Je l'avais joué. J'en ressentis une joie singulière, qui fut un baume pour mon humiliation. Je continuai à courir de toutes mes forces, m'éloignant le plus vite possible du carnage. Je n'entendais plus les cris des rabatteurs. J'étais sauvé.

Sauvé ! Je sous-estimais la malignité des singes sur la planète Soror. Je n'avais pas parcouru cent mètres que je butai, tête baissée, dans un obstacle dissimulé sous le feuillage. C'était un filet à larges mailles, tendu au-dessus du sol et muni de grandes poches, dans l'une desquelles je m'enfonçai profondément. Je n'étais pas le seul prisonnier. Le filet barrait une large section de la forêt et une foule de fugitifs, qui avaient échappé au fusil, s'y étaient laissé prendre comme moi. A ma droite et à ma gauche, des soubresauts accompagnés de piaulements furieux témoignaient de leurs efforts pour se libérer.

Une rage folle s'empara de moi quand je me sentis ainsi captif, une rage plus forte que la terreur, me laissant incapable de la moindre réflexion. Je fis exactement le contraire de ce que me conseillait la raison, c'est-à-dire que je me débattais d'une manière parfaitement désordonnée, ce qui eut pour résultat de resserrer les mailles autour de mon corps. Je fus finalement si bien ligoté que je dus me tenir coi, à la merci des singes que j'entendais approcher.

CHAPITRE X

Une terreur mortelle s'empara de moi quand je vis s'avancer leur troupe. Après avoir été témoin de leur cruauté, je pensais qu'ils allaient effectuer un massacre général.

Les chasseurs, tous des gorilles, marchaient en tête. Je remarquai qu'ils avaient abandonné leurs armes, ce qui me donna un peu d'espoir. Derrière eux, venaient les servants et les rabatteurs, parmi lesquels il y avait un nombre à peu près égal de gorilles et de chimpanzés. Les chasseurs paraissaient les maîtres et leurs façons étaient celles d'aristocrates. Ils ne semblaient pas animés de mauvaises intentions et s'interpellaient de la meilleure humeur du monde...

En vérité, je suis si bien accoutumé aujourd'hui aux paradoxes de cette planète que j'ai écrit la phrase précédente sans songer à l'absurdité qu'elle représente. Et pourtant, c'est la vérité ! Les gorilles avaient des airs d'aristocrates. Ils s'interpellaient joyeusement en un langage articulé et leur physionomie exprimait à chaque instant des sentiments humains dont j'avais vainement cherché la trace chez Nova. Hélas ! qu'était-il advenu de Nova ? Je frémis en évoquant l'allée sanglante. Je comprenais maintenant l'émoi que lui avait causé la vue de notre chimpanzé. Il existait certainement une haine farouche entre les deux races. Il suffisait pour s'en convaincre de voir l'attitude des hommes prisonniers, à l'approche des singes. Il s'agitaient frénétiquement, ruaient des quatre membres, grinçaient des dents, l'écume à la bouche, et mordaient avec rage les cordes du filet.

Sans prendre garde à ce tumulte, les gorilles chasseurs — je me surpris à les appeler des seigneurs — donnaient des ordres à leurs valets. De grands chariots, assez bas, dont la plate-forme était constituée par une cage, furent avancés sur une piste qui se trouvait de l'autre côté du filet. On nous y enfourna, à raison d'une dizaine par chariot, opération qui fut assez longue, car les prisonniers se débattaient avec désespoir. Deux gorilles, les mains recouvertes de gants de cuir pour éviter les morsures, les saisissaient un par un, les dégageaient du piège et les jetaient dans une cage, dont la porte était vite repoussée, tandis qu'un des seigneurs dirigeait l'opération, appuyé avec nonchalance sur une canne.

Quand mon tour vint, je voulus attirer l'attention sur moi en parlant. Mais à peine avais-je ouvert la bouche qu'un des exécutants, prenant sans doute cela pour une menace, m'appliqua avec brutalité son énorme gant sur la face. Je fus bien obligé de me taire et fus jeté comme un ballot dans une cage, en compagnie d'une douzaine d'hommes et de femmes, encore trop agités pour faire attention à moi.

Quand nous fûmes tous embarqués, un des servants vérifia la fermeture des cages et vint rendre compte à son maître. Celui-ci fit un geste de la main, et des ronflements de moteur firent retentir la forêt. Les chariots se mirent en branle, chacun tiré par une sorte de tracteur automobile conduit par un singe. Je distinguai fort bien le chauffeur du véhicule qui suivait le mien. C'était un chimpanzé. Il était vêtu d'un bleu et semblait d'humeur joviale. Il nous adressait parfois des exclamations ironiques et, quand le moteur ralentissait, je pouvais l'entendre fredonner une mélopée au rythme assez mélancolique, dont la musique ne manquait pas d'harmonie.

Cette première étape fut si courte que je n'eus guère le temps de reprendre mes esprits. Après avoir roulé pendant un quart d'heure sur une mauvaise piste, le convoi s'arrêta sur un vaste terre-plein, devant une maison en pierre. C'était l'orée de la forêt : je distinguai au-delà une plaine couverte de cultures ayant l'aspect de céréales.

La maison, avec son toit en tuile rouge, ses volets verts et des inscriptions inscrites sur un panneau à l'entrée, avait l'apparence d'une auberge. Je compris vite que c'était un rendez-vous de chasse. Les guenons étaient venues y attendre leurs seigneurs, qui arrivaient dans leurs voitures particulières, après avoir suivi un autre chemin que nous. Les dames gorilles étaient assises en cercle dans des fauteuils et papotaient à l'ombre de grands arbres qui ressemblaient à des palmiers. L'une d'elles buvait de temps en temps dans un verre, à l'aide d'une paille.

Dès que les chariots furent rangés, elles s'approchèrent, curieuses de voir les résultats de la chasse et, d'abord, les pièces abattues, que des gorilles, protégés par un long tablier, étaient en train d'extraire de deux grands camions, pour les exposer à l'ombre des arbres.

C'était le glorieux tableau de chasse, Là encore, les singes opéraient avec méthode. Ils plaçaient les cadavres sanglants sur le dos, côte à côte, alignés comme au cordeau. Puis, tandis que les guenons poussaient de petits cris admiratifs, ils s'appliquaient à *présenter* le gibier d'une manière attrayante. Ils allongeaient les bras le long du corps, ouvraient les mains, les paumes en l'air. Ils étiraient les jambes, faisaient jouer des articulations pour enlever au corps son aspect de cadavre, rectifiaient un membre disgracieusement tordu ou bien atténuaient la contraction d'un cou. Ensuite ils lissaient avec soin les cheveux, particulièrement ceux des femmes, comme certains chasseurs lissent le poil ou la plume de l'animal qu'ils viennent d'abattre.

Je crains de ne pouvoir faire comprendre ce que ce tableau avait pour moi de grotesque et de diabolique.

Ai-je assez insisté sur le physique totalement, absolument *simiesque* de ces singes, mis à part l'expression de leur regard ? Ai-je dit que ces guenons, habillées elles aussi d'une façon sportive, mais avec une grande recherche, se bousculaient pour découvrir les plus belles pièces et se les montraient du doigt en congratulant leurs seigneurs gorilles ? Ai-je dit qu'une d'elles, sortant d'un sac une paire de petits ciseaux, se pencha sur un corps, coupa quelques mèches d'une chevelure brune, en fit une boucle autour de son doigt, puis, bientôt imitée par toutes les autres, la fixa sur son bonnet au moyen d'une épingle ?

L'exposition du tableau était terminée : trois rangées de corps soigneusement disposés, hommes et femmes alternés, celles-ci dardant une ligne de seins dorés vers l'astre monstrueux qui incendiait le ciel. Détournant les yeux avec horreur, j'aperçus un nouveau personnage qui s'avançait, portant une boîte oblongue au bout d'un trépied. C'était un chimpanzé. Je reconnus très vite en lui le photographe qui devait fixer le souvenir de ces exploits cynégétiques pour la postérité simienne. La séance dura plus d'un quart d'heure, les gorilles se faisant d'abord prendre individuellement dans des postures avantageuses, certains posant le pied d'un air triomphant sur une de leurs victimes, puis en groupe compact, chacun passant le bras autour du cou de son voisin. Les guenons eurent ensuite leur tour et prirent des attitudes gracieuses devant ce charnier, avec leur chapeau empanaché bien en évidence.

Il y avait dans cette scène une horreur disproportionnée avec la résistance d'un cerveau normal. Je réussis pendant un certain temps à comprimer le sang qui bouillait dans mes veines, mais quand je distinguai le corps sur lequel une de ces femelles s'était assise pour obtenir un cliché plus sensationnel, quand je reconnus, sur la face de ce cadavre allongé auprès des autres, les traits juvéniles, presque enfantins de mon infortuné compagnon, Arthur Levain, il me fut impossible de me contenir. Et mon émoi explosa encore d'une manière absurde, en harmonie avec le côté grotesque de cette macabre exposition. Je me laissai aller à une hilarité insensée ; j'éclatai de rire.

Je n'avais pas pensé à mes compagnons de cage. J'étais incapable de penser ! Le tumulte déchaîné par mon rire me rappela leur voisinage, aussi dangereux pour moi, sans doute, que celui des singes. Des bras menaçants se tendirent vers moi. Je compris le péril et étouffai mes éclats en enfouissant la tête dans mes bras. Je ne sais pourtant si j'aurais évité d'être étranglé et déchiré si quelques-uns des singes, alerté par le tapage, n'avaient rétabli l'ordre à coups de pique. Un autre incident détourna d'ailleurs bientôt l'attention générale. Une cloche tinta dans l'auberge, annonçant l'heure du déjeuner. Les gorilles se dirigèrent vers la maison par petits groupes, en bavardant gaiement, tandis que le photographe rangeait ses instruments après avoir pris quelques clichés de nos cages.

Nous n'étions cependant pas oubliés, nous, les hommes. Je ne savais le sort que nous destinaient les singes, mais il entrait dans leurs vues de nous soigner. Avant de disparaître dans l'auberge, un des seigneurs donna des instructions à un gorille, qui semblait être un chef d'équipe. Celui-ci revint vers nous, rassembla son monde et, bientôt, les servants nous apportèrent à manger dans des bassines et à boire, dans des seaux. La nourriture consistait en une sorte de pâtée. Je n'avais pas faim, mais j'étais résolu à manger pour conserver mes forces intactes. Je m'approchai d'un des récipients, autour duquel plusieurs prisonniers s'étaient accroupis. Je fis comme eux et tendis une main timide. Ils me regardèrent d'un air hargneux, mais, la nourriture étant abondante, me laissèrent faire. C'était une bouillie épaisse, à base de céréales, qui n'avait pas mauvais goût. J'en avalai quelques poignées sans déplaisir.

Notre menu fut d'ailleurs corsé par la bonne grâce de nos gardiens. La chasse terminée, ces rabatteurs, qui m'avaient tant effrayés, ne se montraient pas méchants, tant que nous nous comportions bien. Ils se promenaient devant les cages et nous lançaient de temps en temps quelques fruits, s'amusant beaucoup de la bousculade que cet envoi ne manquait pas de provoquer. J'assistai même à une scène qui me donna à réfléchir. Une petite fille ayant attrapé un fruit au vol, son voisin se précipita sur elle pour lui arracher. Le singe, alors, brandit sa pique, la passa entre les barreaux et repoussa l'homme avec brutalité ; puis il mit un deuxième fruit dans la main même de l'enfant. Je connus ainsi que ces créatures étaient accessibles à la pitié.

Quand le repas fut terminé, le chef d'équipe et ses aides entreprirent de modifier la composition du convoi, en transférant certains prisonniers d'une cage dans une autre. Ils semblaient effectuer une sorte de tri, dont le critère m'échappait. Me trouvant finalement placé dans un groupe d'hommes et de femmes de fort belle allure, je m'efforçai de me persuader qu'il s'agissait des sujets les plus remarquables, éprouvant une consolation amère à penser que les singes, au premier coup d'œil, m'avaient jugé digne de figurer parmi une élite.

J'eus la surprise et l'immense joie de reconnaître Nova parmi mes nouveaux compagnons. Elle avait échappé au massacre et j'en remerciai le ciel de Bételgeuse. C'est en songeant à elle surtout que j'avais examiné longuement les victimes, tremblant à chaque instant de découvrir son admirable forme dans le tas de cadavres. J'avais l'impression de retrouver un être cher et, perdant de nouveau la tête, je me précipitai vers elle en lui ouvrant mes bras. C'était pure folie ; mon geste la terrorisa. Avait-elle donc oublié notre intimité de la nuit ? Un physique aussi merveilleux n'était-il animé par aucune âme ? Je me sentis accablé en la voyant se contracter à mon approche, les mains crispées comme pour m'étrangler, ce qu'elle eût probablement fait si j'avais insisté.

Pourtant, comme je m'étais immobilisé, elle se calma assez vite. Elle s'allongea dans un coin de la cage et je l'imitai en soupirant. Tous les autres prisonniers avaient fait de même. Ils paraissaient maintenant las, prostrés et résignés à leur sort.

Au-dehors, les singes préparaient le départ du convoi. Une bâche fut tendue au-dessus de notre cage et rabattue jusqu'à mi-hauteur des parois, laissant passer le jour. Des ordres furent criés ; les moteurs mis en marche. Je me trouvai emporté à grande allure vers une destination inconnue, angoissé à la pensée des nouvelles tribulations qui m'attendaient sur la planète Soror.

CHAPITRE XI

J'étais anéanti. Les événements de ces deux journées avaient brisé mon corps et plongé mon esprit dans un désarroi si profond que j'avais été incapable jusqu'alors de déplorer la perte de mes camarades et même de me représenter d'une manière concrète tout ce qu'impliquait pour moi la détérioration de la chaloupe. J'accueillis avec soulagement la pénombre totale, puis l'isolement dans l'obscurité presque totale qui suivit, car le soir tomba très vite et nous roulâmes toute la nuit. Je m'ingéniais à chercher un sens aux événements dont j'avais été le témoin. J'avais besoin de ce travail intellectuel pour échapper au désespoir qui me guettait, pour me prouver que j'étais un homme, je veux dire un homme de la Terre, une créature raisonnable, habituée à découvrir une explication logique aux caprices en apparence miraculeux de la nature, et non une bête traquée par des singes évolués.

Je repassai dans ma tête toutes mes observations, souvent enregistrées à mon insu. Une impression générale les dominait toutes : ces singes, mâles et femelles, gorilles et chimpanzés, n'étaient en aucune façon *ridicules*. J'ai déjà mentionné qu'ils ne m'étaient jamais apparus comme des animaux déguisés, comme les singes savants qu'on montre dans nos cirques. Sur Terre, un chapeau sur la tête d'une guenon est un spectacle hilarant pour certains, pour moi pénible. Rien de tel ici. Le chapeau et la tête étaient en harmonie et il n'y avait rien que de très naturel dans tous leurs gestes. La guenon qui buvait dans un verre avec une paille avait l'air d'une dame. Je me rappelai aussi avoir vu un des chasseurs sortir une pipe de sa poche, la bourrer avec méthode et l'allumer. Eh bien, rien dans cet acte n'avait choqué mon instinct, tant ses mouvements étaient routiniers. J'avais eu besoin de réfléchir pour conclure au paradoxe. Je méditai longuement sur ce point et, pour la première fois peut-être de ma capture, je déplorai la disparition du professeur Antelle. Sa sagesse et sa science auraient sans doute pu découvrir une explication à ces paradoxes. Qu'était-il devenu ? J'étais certain qu'il ne figurait pas dans le tableau des pièces abattues. Se trouvait-il parmi les prisonniers ? Ce n'était pas impossible ; je ne les avais pas tous vus. Je n'osais espérer qu'il eût réussi à conserver sa liberté.

Avec mes faibles ressources, je tentai d'échafauder une hypothèse qui, en vérité, ne me satisfit pas beaucoup. Peut-être les habitants de cette planète, les êtres civilisés dont nous avions aperçu les villes, peut-être étaient-ils arrivés à dresser des singes de façon à en obtenir un comportement plus ou moins raisonnable ; cela, après une sélection patiente et des efforts portant sur plusieurs générations ? Après tout, sur la Terre, certains de ces chimpanzés parviennent à exécuter des tours étonnants. Le fait même qu'ils eussent un langage n'était peut-être pas aussi extravagant que je l'avais cru. Je me rappelais maintenant une discussion sur ce sujet avec un spécialiste. Il m'avait appris que de graves savants passaient une partie de leur existence à essayer de faire parler des primates. Ils prétendaient que rien dans la conformation de ces bêtes ne s'y opposait. Jusqu'alors, tous leurs efforts avaient été vains, mais ils persévéraient, soutenant que le seul obstacle tenait à ce que les singes ne *voulaient* pas parler. Peut-être un jour avaient-ils voulu, sur la planète Soror ? Cela permettait à ces habitants hypothétiques de les utiliser pour certaines besognes grossières, comme cette chasse au cours de laquelle j'avais été capturé.

Je me raccrochais avec acharnement à cette explication, répugnant avec épouvante à en imaginer une autre, plus simple, tant il me semblait indispensable pour mon salut qu'il existât sur cette planète de véritables créatures conscientes, c'est-à-dire des hommes, des hommes comme moi, avec lesquels je pourrais m'expliquer.

Des hommes ! A quelle race appartenaient donc les êtres que les singes abattaient et capturaient ? Des peuplades arriérées ? Si cela était, quelle cruauté chez les maîtres de cette planète pour tolérer et peut-être ordonner ces massacres !

Je fus distrait de ces pensées par une forme qui s'approchait de moi en rampant. C'était Nova. Autour de moi, tous les prisonniers s'étaient couchés par groupes sur le plancher. Après quelques hésitations, elle se pelotonna contre moi, comme la veille. J'essayai vainement, encore une fois, de découvrir dans son regard la flamme qui eût donné à son geste la valeur d'un élan amical. Elle détourna la tête et ferma bientôt les yeux. Malgré cela, je fus réconforté par sa simple présence et je finis par m'endormir contre elle, en essayant de ne pas penser au lendemain.

CHAPITRE XII

Je réussis donc à dormir jusqu'au jour, par un réflexe de défense contre des velléités de pensées trop accablantes. Mon sommeil fut cependant coupé de cauchemars fiévreux, où le corps de Nova m'apparaissait comme celui d'un monstrueux serpent enroulé autour du mien. J'ouvris les yeux au matin. Elle était déjà éveillée. Elle s'était un peu écartée de moi et m'observait de son regard éternellement perplexe.

Notre véhicule ralentit et je m'aperçus que nous pénétrions dans la ville. Les prisonniers s'étaient levés et se tenaient accroupis contre les grilles, regardant par-dessous la bâche un spectacle qui semblait réveiller leur émoi de la veille. Je les imitai ; je collai mon visage contre les barreaux et contemplai pour la première fois une cité civilisée de la planète Soror.

Nous roulions dans une rue assez large, bordée de trottoirs. J'examinai anxieusement les passants : c'étaient des singes. Je vis un commerçant, une sorte d'épicier, qui venait de relever le rideau de sa boutique et se retournait avec curiosité pour nous voir passer : c'était un singe. Je tentai de distinguer les passagers et le chauffeur des voitures automobiles qui nous dépassaient : ils étaient habillés à la mode de chez nous et c'étaient des singes.

Mon espoir de découvrir une race humaine civilisée devenait chimérique et je vécus la fin du trajet dans un morne découragement. Notre chariot ralentit encore. Je remarquai alors que le convoi s'était disloqué pendant la nuit, car il ne comportait plus que deux véhicules, les autres ayant dû prendre une autre direction. Après avoir franchi une porte cochère, nous nous arrêtâmes dans une cour. Des singes nous entourèrent aussitôt et s'employèrent à calmer l'agitation grandissante des prisonniers par quelques coups de pique.

La cour était entourée de bâtiments à plusieurs étages, avec des rangées de fenêtres toutes semblables. L'ensemble suggérait un hôpital et cette impression fut confirmée par la venue des nouveaux personnages qui s'avançaient à la rencontre de nos gardiens. Ils portaient tous une blouse blanche et un petit calot, comme des infirmiers : c'étaient des singes.

C'étaient des singes, tous, gorilles et chimpanzés. Ils aidèrent nos gardiens à décharger les chariots. Nous fûmes extraits de la cage, un par un, fourrés dans un grand sac et emmenés à l'intérieur du bâtiment. Je n'opposai aucune résistance et me laissai transporter par deux gorilles vêtus de blanc. Pendant plusieurs minutes, j'eus l'impression que nous suivions de longs couloirs et montions des escaliers. Enfin, je fus déposé sans douceur sur le parquet, puis, le sac ouvert, projeté dans un autre cage, fixe cette fois, au plancher recouvert d'une litière de paille et où j'étais seul. Un des gorilles verrouilla la porte avec soin.

La salle où je me trouvais contenait un grand nombre de cages semblables à la mienne, disposées sur deux rangées et donnant sur un long passage. La plupart étaient déjà occupées, certaines par mes compagnons de la razzia, qu'on venait d'amener là, d'autres par des hommes et des femmes qui devaient être prisonniers depuis longtemps. On reconnaissait ceux-ci à une certaine allure résignée. Ils regardaient les arrivants d'un air désabusé, dressant à peine l'oreille quand l'un d'eux poussait des gémissements plaintifs. Je remarquai aussi que les nouveaux étaient placés, comme moi, dans une cellule individuelle, alors que les anciens étaient généralement réunis par couple. Passant le nez entre deux barreaux, j'aperçus une cage plus grande au bout du couloir, contenant un grand nombre d'enfants. Contrairement aux adultes, ceux-ci paraissaient très surexcités par l'arrivée de notre fournée. Ils gesticulaient, se bousculaient et faisaient mine de secouer les grilles, en poussant des petits cris, comme de jeunes singes querelleurs.

Les deux gorilles revenaient, portant un autre sac. Mon amie Nova en sortit, et j'eus encore la consolation de la voir placée dans la cage située juste en face de la mienne. Elle protesta contre cette opération à sa manière particulière, tentant de griffer et de mordre. Quand la grille fut refermée, elle se précipita contre les barreaux, essaya de les ébranler, grinçant des dents et poussant des ululements à fendre l'âme. Au bout d'une minute de ce manège, elle m'aperçut, s'immobilisa et haussa un peu le cou comme un animal surpris. Je lui fis un demi-sourire et un petit geste de la main, qu'elle essaya d'imiter avec maladresse, ce qui me remplit le cœur de joie.

Je fus distrait par le retour des deux gorilles en blouse blanche. Le déchargement devait être terminé, car ils ne portaient aucun fardeau ; mais ils poussaient devant eux un chariot chargé de nourriture et de seaux d'eau, qu'ils distribuaient aux prisonniers, ce qui ramena le calme parmi eux.

Ce fut bientôt mon tour. Pendant qu'un des gorilles montait la garde, l'autre pénétra dans ma cage et plaça devant moi une terrine contenant la pâtée, quelques fruits et un seau. J'avais décidé de faire mon possible pour établir un contact avec ces singes, qui paraissaient bien les seuls êtres civilisés et raisonnables de la planète. Celui qui m'apportait à manger n'avait pas l'air méchant. Observant ma tranquillité, il me tapota même l'épaule d'un geste familier. Je le regardai dans les yeux ; puis, sortant la main de ma poitrine, je m'inclinai cérémonieusement. Je lus une intense surprise sur son visage, en relevant la tête. Je lui souris alors, mettant toute mon âme dans cette manifestation. Il était près de sortir : il s'arrêta, interloqué et poussa une exclamation. J'avais enfin réussi à me faire remarquer. Voulant confirmer mon succès en montrant toutes mes capacités, je prononçai assez stupidement la première phrase qui me vint à l'esprit.

« Comment allez-vous ? Je suis un homme de la Terre. J'ai fait un long voyage. »

Le sens n'avait pas d'importance. Il me suffisait de parler pour lui dévoiler ma véritable nature. J'avais certainement atteint mon but. Jamais stupéfaction pareille ne s'inscrivit sur les traits d'un singe. Il en resta le souffle coupé et la bouche ouverte, ainsi que son compagnon. Tous deux commencèrent à mi-voix une conversation rapide, mais le résultat ne fut pas celui que j'escomptais. Après m'avoir dévisagé d'un air soupçonneux, le gorille se recula vivement et sortit de la cage, qu'il referma avec encore plus de soin qu'auparavant. Les deux singes se regardèrent alors un instant, puis éclatèrent d'un énorme rire. Je devais représenter un phénomène vraiment unique, car ils n'en finissaient pas de s'ébaubir à mes dépens. Ils en avaient les larmes aux yeux et l'un d'eux dut poser la marmite qu'il tenait pour sortir son mouchoir.

Ma désillusion fut telle que j'entrai d'un seul coup dans une épouvantable fureur. Je me mis, moi aussi, à secouer les barreaux, à montrer les dents et à les injurier dans toutes les langues que je connaissais. Quand j'eus épuisé mon répertoire d'invectives, je continuai à hurler des sons indistincts, ce qui eut pour seul résultat de leur faire hausser les épaules.

J'avais tout de même réussi à attirer l'attention sur moi. En s'en allant, ils se retournèrent plusieurs fois pour m'observer. Comme j'avais fini par me calmer, à bout de forces, je vis l'un d'eux sortir un carnet de sa poche et y inscrire quelques notes, après avoir relevé avec soin un signe marqué sur un écriteau au sommet de ma cage, que je supposai être un numéro.

Ils partirent. Un moment agités par ma démonstration, les autres prisonniers s'étaient remis à leur repas. Il n'y avait rien d'autre à faire pour moi : manger et me reposer, en attendant une occasion plus favorable de révéler ma noble essence. J'avalai encore une bouillie de céréales et quelques fruits succulents. En face de moi, Nova s'arrêtait parfois de mâcher pour me lancer des regards furtifs.

CHAPITRE XIII

On nous laissa tranquilles le reste de la journée. Le soir, après nous avoir servi un autre repas, les gorilles se retirèrent en éteignant les lumières. Je dormis peu cette nuit-là, non à cause de l'inconfort de la cage — la litière était épaisse et formait une couche acceptable — mais je n'en finissais pas d'imaginer des plans pour entrer en communication avec les singes. Je me promis de ne plus me laisser aller à la colère, mais de rechercher avec une patience inlassable toutes les occasions de montrer mon esprit. Les deux gardiens à qui j'avais eu affaire étaient probablement des subalternes bornés, incapables d'interpréter mes initiatives ; mais il devait exister d'autres singes plus cultivés.

Je m'aperçus, dès le lendemain matin, que cet espoir n'était pas vain. J'étais éveillé depuis une heure. La plupart de mes compagnons tournaient sans arrrêt dans leur cage, à la manière de certains animaux captifs. Quand je réalisai que je faisais comme eux, depuis déjà un long moment et à mon insu, j'en conçus du dépit et me forçai à m'asseoir devant la grille, en prenant une attitude aussi humaine, aussi pensive que possible. C'est alors que la porte du couloir fut poussée et que je vis entrer un nouveau personnage, accompagné par les deux gardiens. C'était un chimpanzé femelle, et je compris qu'elle occupait un poste important dans l'établissement, à la façon dont les gorilles s'effaçaient devant elle.

Ceux-ci lui avaient certainement fait un rapport sur mon compte car, dès son entrée, la guenon posa une question à l'un d'eux, qui tendit le doigt dans ma direction. Alors, elle se dirigea directement vers ma cage.

Je l'observai avec attention tandis qu'elle s'approchait. Elle était vêtue, elle aussi, d'une blouse blanche, de coupe plus élégante que celle des gorilles, serrée à la taille par une ceinture, et dont les manches courtes révélaient deux longs bras agiles. Ce qui me frappa surtout en elle, ce fut son regard, remarquablement vif et intelligent. J'en augurai du bien pour nos futures relations. Elle me parut très jeune, malgré les rides de sa condition simienne qui encadraient son museau blanc. Elle tenait à la main une serviette de cuir.

Elle s'arrêta devant ma cage et commença à m'examiner, tout en sortant un cahier de sa serviette.

« Bonjour, madame », dis-je en m'inclinant.

J'avais parlé de ma voix la plus douce. La face de la guenon exprima une intense surprise, mais elle conserva son sérieux, imposant même silence, d'un geste autoritaire, aux gorilles qui recommençaient à ricaner.

« Madame ou mademoiselle, continuai-je encouragé, je regrette de vous être présenté dans de telles conditions et dans ce costume. Croyez bien que je n'ai pas l'habitude... »

Je disais encore n'importe quelles bêtises, cherchant seulement des paroles en harmonie avec le ton civil auquel j'avais décidé de me tenir. Quand je me tus, ponctuant mon discours par le plus aimable des sourires, son étonnement se changea en stupeur. Ses yeux clignotèrent plusieurs fois et les rides de son front se plissèrent. Il est évident qu'elle cherchait avec passion la solution difficile d'un problème. Elle me sourit à son tour et j'eus l'intuition qu'elle commençait à soupçonner une partie de la vérité.

Pendant cette scène, les hommes des cages nous observaient sans manifester cette fois la hargne que le son de ma voix provoquait chez eux. Ils donnaient des signes de curiosité. L'un après l'autre, ils cessèrent leur ronde fébrile pour venir coller leur visage contre les barreaux, afin de mieux nous voir. Seule, Nova paraissait furieuse et s'agitait sans cesse.

La guenon sortit un stylo de sa poche et écrivit plusieurs lignes dans son cahier. Puis, relevant la tête et rencontrant encore mon regard anxieux, elle sourit de nouveau. Ceci m'encouragea à faire une autre avance amicale. Je tendis un bras vers elle à travers la grille, la main ouverte. Les gorilles sursautèrent et eurent un mouvement pour s'interposer. Mais la guenon, dont le premier réflexe avait été tout de même de reculer, se reprit, les arrêta d'un mot et, sans cesser de me fixer, avança elle aussi son bras velu, un peu tremblant, vers le mien. Je ne bougeai pas. Elle s'approcha encore et posa sa main aux doigts démesurés sur mon poignet. Je la sentis frémir à ce contact. Je m'appliquai à ne faire aucun mouvement qui pût l'effrayer. Elle me tapota la main, me caressa le bras, puis se tourna vers ses assistants d'un air triomphant.

J'étais haletant d'espoir, de plus en plus convaincu qu'elle commençait à reconnaître ma noble essence. Quand elle parla impérieusement à l'un des gorilles, j'eus la folie d'espérer que ma cage allait être ouverte, avec des excuses. Hélas ! il n'était pas question de cela ! Le gardien fouilla dans sa poche et en sortit un petit objet blanc, qu'il tendit à sa patronne. Celle-ci me le mit elle-même dans la main avec un charmant sourire. C'était un morceau de sucre.

Un morceau de sucre ! Je tombais de si haut, je me sentis d'un coup si découragé devant l'humiliation de cette récompense que je faillis le lui jeter à la face. Je me rappelai juste à temps mes bonnes résolutions et me contraignis à rester calme. Je pris le sucre, m'inclinai et le croquai d'un air aussi intelligent que possible.

Tel fut mon premier contact avec Zira. Zira était le nom de la guenon, comme je l'appris bientôt. Elle était le chef de service où j'avais été amené. Malgré ma déception finale, ses façons me donnaient beaucoup d'espoir et j'avais l'intuition que je parviendrais à entrer en communication avec elle. Elle eut une longue conversation avec les gardiens et il me sembla qu'elle leur donnait des instructions à mon sujet. Ensuite, elle continua sa tournée, inspectant les autres occupants des cages.

Elle examinait avec attention chacun des nouveaux venus et prenait quelques notes, plus succinctes que pour moi. Jamais elle ne se risqua à toucher l'un d'eux. Si elle l'avait fait, je crois que j'aurais été jaloux. Je commençais à ressentir l'orgueil d'être le sujet exceptionnel qui, seul, mérite un traitement privilégié. Quand je la vis s'arrêter devant les enfants et leur lancer, à eux aussi, des morceaux de sucre, j'en éprouvai un violent dépit ; un dépit au moins égal à celui de Nova qui, après avoir montré les dents à la guenon, s'était couchée, de rage, au fond de sa cage et me tournait le dos.

CHAPITRE XIV

La deuxième journée se passa comme la première. Les singes ne s'occupèrent de nous que pour nous apporter à manger. J'étais de plus en plus perplexe au sujet de ce bizarre établissement quand, le lendemain, commença pour nous une série de *tests*, dont le souvenir m'humilie aujourd'hui mais qui me procurèrent alors une distraction.

Le premier me parut tout d'abord assez insolite. Un des gardiens s'approcha de moi, tandis que son compère opérait devant une autre cage. Mon gorille gardait une main cachée derrière son dos ; de l'autre, il tenait un sifflet. Il me regarda pour attirer mon attention, porta le sifflet à sa bouche et en tira une succession de sons aigus ; cela, pendant une minute entière. Puis il démasqua son autre main, me montrant avec ostentation une de ces bananes dont j'avais apprécié la saveur et dont tous les hommes se montraient friands. Il tint le fruit devant moi, sans cesser de m'observer.

J'allongeai le bras, mais la banane était hors de portée et le gorille ne s'approchait pas. Il paraissait déçu et semblait désirer un autre geste. Au bout d'un moment, il se lassa, cacha de nouveau le fruit et recommença de siffler. J'étais nerveux, intrigué par ces simagrées et je faillis perdre patience quand il le brandit encore hors de mon atteinte. Je réussis pourtant à rester calme, essayant de deviner ce qu'il attendait de moi, car il avait l'air de plus en plus surpris, comme devant un comportement anormal. Il refit le même manège cinq ou six fois puis, découragé, passa à un autre prisonnier.

J'eus un net sentiment de frustration quand je constatai que celui-ci recevait la banane, lui, dès la première expérience et il en fut de même du suivant. Je surveillai de près l'autre gorille qui se livrait à la même cérémonie dans la rangée d'en face. Comme il en était arrivé à Nova, je ne perdis aucune des réactions de celle-ci. Il siffla, ensuite brandit un fruit comme son camarade. Aussitôt, la jeune fille s'agita, remuant les mâchoires et...

La lumière se fit brusquement dans mon esprit. Nova, la radieuse Nova, s'était mise à saliver abondamment à la vue de cette friandise, comme un chien à qui l'on présente un morceau de sucre. C'était ce qu'attendait le gorille, cela seulement pour aujourd'hui. Il lui abandonna l'objet de sa convoitise et passa à une autre cage.

J'avais compris, vous dis-je, et je n'en étais pas peu fier ! J'avais entrepris autrefois des études de biologie et les travaux de Pavlov n'avaient pas de secrets pour moi. Il s'agissait ici d'expérimenter sur les hommes les réflexes qu'il avait étudiés sur les chiens. Et moi, moi si stupide quelques instants auparavant, maintenant, avec ma raison et ma culture, non seulement je saisissais l'esprit de ce test, mais je prévoyais ceux qui devaient suivre. Pendant plusieurs jours, peut-être, les singes opéraient ainsi : coups de sifflet, puis présentation d'un aliment favori, celui-ci suscitant la salivation chez le sujet. Après une certaine période, c'est le son du sifflet, seul, qui causerait le même effet. Les hommes auraient acquis des réflexes conditionnés, suivant le jargon scientifique.

Je n'en finissais pas de me féliciter de ma perspicacité et n'eus de cesse que je n'en eusse fait étalage. Comme mon gorille repassait devant moi, ayant fini sa tournée, je cherchai par tous les moyens à attirer son attention. Je tapai sur les barreaux ; je lui montrai ma bouche avec de grands gestes, si bien qu'il daigna recommencer l'expérience. Alors dès le premier coup de sifflet, et bien avant qu'il eût brandi le fruit, je me mis à saliver, à saliver avec rage, à saliver avec frénésie, moi, Ulysse Mérou, comme si ma vie en dépendait, tant j'éprouvais de plaisir à lui prouver mon intelligence.

En vérité, il parut fort décontenancé, appela son compagnon et s'entretint longuement avec lui, comme la veille. Je pouvais suivre le raisonnement simpliste de ces lourdauds : voilà un homme qui n'avait aucun réflexe, un instant auparavant, et qui, tout d'un coup, a acquis des réflexes conditionnés, ce qui demandait avec les autres une durée et une patience considérables ! Je prenais en pitié la faiblesse de leur intellect, qui les empêchait d'attribuer la seule cause possible à ce progrès subit : la conscience. J'étais certain que Zira se fût montrée plus fine.

Cependant, ma sagesse et mon excès de zèle eurent un résultat différent de celui que j'escomptais. Ils s'éloignèrent en négligeant de me donner le fruit, que l'un d'eux croqua lui-même. Ce n'était plus la peine de me récompenser, puisque le but recherché était atteint sans cela.

Ils revinrent le lendemain avec d'autres accessoires. L'un portait une cloche ; l'autre poussait devant lui, monté sur un petit chariot, un appareil qui avait toutes les apparences d'une magnéto. Cette fois, éclairé sur le genre d'expérience auxquelles nous devions être soumis, je compris l'usage qu'ils voulaient faire de ces instruments avant même qu'ils s'en fussent servis.

Ils commencèrent avec le voisin de Nova, un gaillard de haute taille, au regard particulièrement terne, qui s'était approché de la grille et tenait les barreaux à pleines mains, comme nous le faisions tous maintenant au passage des geôliers. Un des gorilles se mit à agiter la cloche, qui rendait un son grave, pendant que l'autre branchait un câble de la magnéto sur la cage. Quand la

70

cloche eut tinté un assez long moment, le deuxième opérateur se mit à tourner la manivelle de l'appareil. L'homme fit un bond en arrière, en poussant des cris plaintifs.

Ils recommencèrent plusieurs fois ce manège sur le même sujet, celui-ci étant incité à revenir se coller contre le fer par l'offre d'un fruit. Le but, je le savais, était de le faire bondir en arrière dès la perception du son de choche et avant la décharge électrique (encore un réflexe conditionné) mais il ne fut pas atteint ce jour-là, le psychisme de l'homme n'étant pas assez développé pour lui permettre d'établir une relation de cause à effet.

Je les attendais, moi, en ricanant intérieurement, impatient de leur faire sentir la différence entre instinct et intelligence. Au premier son de cloche, je lâchai vivement les barreaux et me reculai vers le milieu de la cage. En même temps, je les dévisageais et souriais narquoisement. Les gorilles froncèrent le sourcil. Ils ne riaient plus du tout de mes façons et, pour la première fois, paraissaient soupçonner que je me moquais d'eux.

Ils allaient tout de même se décider à recommencer l'expérience quand leur attention fut détournée par l'arrivée de nouveaux visiteurs.

CHAPITRE XV

Trois personnages s'avançaient dans le passage : Zira, la guenon chimpanzé, et deux autres singes dont l'un était visiblement une haute autorité.

C'était un orang-outan ; le premier de cette espèce que je voyais sur la planète Soror. Il était moins grand que les gorilles et assez voûté. Ses bras étaient relativement plus longs, de sorte qu'il marchait souvent en prenant appui sur ses mains, ce que les autres singes ne faisaient que rarement. Il me donnait ainsi l'impression bizarre de s'aider de deux cannes. La tête ornée de longs poils fauves enfoncés dans les épaules, le visage figé dans un air de méditation pédante, il m'apparut comme un vieux pontife, vénérable et solennel. Son costume tranchait aussi sur celui des autres : une longue redingote noire, dont le revers s'ornait d'une étoile rouge, et un pantalon rayé blanc et noir, le tout assez poussiéreux.

Une guenon chimpanzé de petite taille le suivait, portant une lourde serviette. D'après son attitude, elle devait être sa secrétaire. On ne s'étonne plus, je pense, de me voir signaler à chaque instant des attitudes et des expressions significatives chez ces singes. Je jure que tout être raisonnable eût conclu comme moi, à la vue de ce couple, qu'il s'agissait d'un savant chevronné et de son humble secrétaire. Leur arrivée fut l'occasion pour moi de constater une fois de plus le sens de la hiérarchie qui semblait exister chez les singes. Zira témoignait au grand patron un respect évident. Les deux gorilles se portèrent à sa rencontre dès qu'ils l'aperçurent et le saluèrent très bas. L'orang-outan leur fit un petit signe condescendant de la main.

Ils se dirigèrent tout droit vers ma cage. N'étais-je pas le sujet le plus intéressant du lot ? J'accueillis l'autorité avec mon sourire le plus amical et en lui parlant sur un ton emphatique.

« Cher orang-outan, dis-je, combien je suis heureux d'être enfin en présence d'une créature qui respire la sagesse et l'intelligence ! Je suis sûr que nous allons nous entendre, toi et moi. »

Le cher vieillard avait tressauté au son de ma voix. Il se gratta longuement l'oreille, tandis que son œil soupçonneux inspectait la cage, comme s'il flairait une supercherie. Zira prit alors la parole, son cahier à la main, relisant les notes prises à mon sujet. Elle insistait, mais il était manifeste que l'orang-outan refusait de se laisser convaincre. Il prononça deux ou trois sentences d'allure pompeuse, haussa plusieurs fois les épaules, secoua la tête, puis mit les mains derrière son dos et entreprit une promenade dans le couloir, passant et repassant devant ma cage en me lançant des coups d'œil assez peu bienveillants. Les autres singes attendaient ses décisions dans un silence respectueux.

Un respect apparent tout au moins, et qui me parut peu réel lorsque je surpris un signe furtif d'un gorille à l'autre, sur le sens duquel il était difficile de se tromper : ils se payaient la tête du patron. Ceci, joint au dépit que je ressentais de son attitude à mon égard, m'inspira l'idée de lui jouer une petite scène propre à les convaincre de mon esprit. Je me mis à arpenter la cage en long et en large, imitant son allure, le dos voûté, les mains derrière le dos, les sourcils froncés avec un air de profonde méditation.

Les gorilles s'étouffèrent à force de rire et Zira, elle-même ne put garder son sérieux. Quant à la secrétaire, elle fut obligée de plonger son museau dans sa serviette pour dissimuler son hilarité. Je me félicitai de ma démonstration, jusqu'au moment où je m'aperçus qu'elle était dangereuse. Remarquant ma mimique, l'orang-outan en conçut un violent dépit et prononça d'une voix sèche quelques paroles sévères qui rétablirent immédiatement l'ordre. Alors, il s'arrêta en face de moi et entreprit de dicter ses observations à sa secrétaire.

Il dictait depuis fort longtemps, ponctuant ses phrases de gestes pompeux. Je commençais à en avoir assez de son aveuglement et résolus de lui donner une nouvelle preuve de mes capacités. Tendant le bras vers lui, je prononçai, en m'appliquant de mon mieux :

« Mi Zaïus. »

J'avais remarqué que tous les subalternes s'adressant à lui commençaient par ces mots. Zaïus, je l'appris par la suite, était le nom du pontife ; mi, un titre honorifique.

Les singes furent médusés. Ils n'avaient plus du tout envie de rire, en particulier Zira, qui me parut extrêmement troublée, surtout lorsque j'ajoutai, en pointant un doigt vers elle : Zira, nom que j'avais également retenu et qui ne pouvait être que le sien. Quant à Zaïus, il fut en proie à une grande nervosité et se remit à arpenter le couloir, secouant de nouveau la tête d'un air incrédule.

Enfin calmé, il donna l'ordre de me faire subir devant lui les tests que l'on m'imposait depuis la veille. Je m'exécutai facilement. Je salivai au premier coup de sifflet. Je bondis en arrière au son de la cloche. Il me fit recommencer dix fois cette dernière opération, dictant à sa secrétaire d'interminables commentaires.

A la fin, j'eus une inspiration. Au moment où le gorille agitait la cloche, je décrochai la pince qui établissait le contact électrique avec ma grille et rejetai le câble à l'extérieur. Alors, je ne lâchai pas les barreaux et restai sur place, pendant que l'autre gardien, qui n'avait pas remarqué mon manège, s'escrimait à tourner la manivelle de la magnéto devenue inoffensive.

J'étais très fier de cette initiative, qui devait être une preuve irréfutable de sagesse pour toute créature raisonnable. En fait, l'attitude de Zira me prouva qu'elle, au moins, était fortement ébranlée. Elle me regarda avec une intensité singulière et son museau blanc se teinta de rose, ce qui, je l'appris plus tard, est un signe d'émoi chez les chimpanzés. Mais il n'y avait rien à faire pour convaincre l'orang-outan. Ce diable de singe se mit de nouveau à hausser les épaules d'une manière désagréable, et à secouer la tête avec énergie quand Zira lui parla. C'était un savant méthodique ; il ne voulait pas s'en laisser conter. Il donna d'autres instructions aux gorilles et l'on m'infligea un nouveau test, qui était une combinaison des deux premiers.

Je le connaissais aussi. Je l'avais vu pratiquer sur des chiens dans certains laboratoires. Il s'agissait de troubler le sujet, d'introduire de la confusion mentale dans son esprit en combinant deux réflexes. L'un des gorilles lança une série de coups de sifflet, son prometteur de récompense, pendant que l'autre agitait la cloche, qui annonçait une punition. Je me rappelai les conclusions d'un grand savant biologiste à propos d'une expérience semblable : il était possible disait-il, en abusant ainsi un animal, de provoquer chez lui des désordres émotionnels rappelant d'une manière remarquable la névrose chez l'homme, parfois même de l'amener à la folie, en répétant assez souvent ces manœuvres.

Je me gardai de tomber dans le piège ; mais, tendant ostensiblement l'oreille d'abord vers le sifflet, puis vers la cloche, je m'assis à égale distance des deux, le menton dans la main, dans l'attitude traditionnelle du penseur. Zira ne put s'empêcher de battre des mains. Zaïus sortit un mouchoir de sa poche et s'épongea le front.

Il transpirait, mais rien ne pouvait ébranler son stupide scepticisme. Je le vis bien à sa mine, après la véhémente discussion qu'il eut avec la guenon. Il dicta encore des notes à sa secrétaire, donna des instructions détaillées à Zira, qui les écouta d'un air peu satisfait, et finit par s'en aller après m'avoir lancé un dernier regard grognon.

Zira parla aux gorilles et je compris vite qu'elle leur donnait l'ordre de me laisser en paix, au moins pour le reste de la journée, car ils s'en allèrent avec leur matériel. Alors, restée seule, elle revint vers ma cage et m'examina de nouveau, en silence, pendant une longue minute. Puis, d'elle-même, elle me tendit la patte d'un geste amical. Je la saisis avec émotion, en murmurant doucement son nom. La rougeur qui colora son museau me révéla qu'elle était profondément touchée.

CHAPITRE XVI

Zaïus revint quelques jours plus tard et sa visite fut le signal d'un bouleversement dans l'ordonnance de la salle. Mais il me faut d'abord conter comment, pendant ce laps de temps, je me distinguai encore aux yeux des singes.

Le lendemain de la première inspection de l'orang-outan, une avalanche de nouveaux tests s'était abattue sur nous ; le premier, à l'occasion du repas. Au lieu de déposer les aliments dans nos cages, comme ils le faisaient d'ordinaire, Zoram et Zanam, les deux gorilles dont j'avais fini par apprendre les noms, les hissèrent au plafond dans des paniers, au moyen d'un système de poulies dont les cages étaient munies. En même temps, ils placèrent quatre cubes en bois, d'assez gros volume, dans chaque cellule. Puis, s'étant reculés, ils nous observèrent.

C'était pitié de voir la mine déconfite de mes compagnons. Ils essayèrent de sauter, mais aucun ne put atteindre le panier. Certains grimpèrent le long des grilles, mais, parvenus au sommet, ils avaient beau étendre le bras, ils ne pouvaient saisir les aliments qui se trouvaient loin des parois. J'étais honteux de la sottise de ces hommes. Moi, est-il besoin de le mentionner, j'avais trouvé du premier coup la solution du problème. Il suffisait d'empiler les quatre cubes l'un sur l'autre, de se hisser sur cet échafaudage et de décrocher le panier.

C'est ce que je fis, d'un air détaché qui dissimulait ma fierté. Ce n'était pas génial, mais je fus le seul à me montrer aussi subtil. L'admiration visible de Zoram et de Zanam m'alla droit au cœur.

Je commençai à manger, sans cacher mon dédain pour les autres prisonniers, qui étaient incapables de suivre mon exemple, après avoir été témoins de l'opération. Nova, elle-même, ne put m'imiter ce jour-là, quoique j'eusse recommencé plusieurs fois mon manège à son intention. Elle essaya cependant — elle était certainement une des plus intelligentes du lot. Elle tenta de placer un cube sur un autre, le posa en déséquilibre, fut effrayée par sa chute et alla se réfugier dans un coin. Cette fille, d'une agilité et d'une souplesse remarquables, dont tous les gestes étaient harmonieux, se montrait comme les autres d'une maladresse inconcevable dès qu'il s'agissait de manipuler un objet. Elle apprit pourtant à exécuter le tour au bout de deux jours.

Ce matin-là, j'eus pitié d'elle et lui lançai deux des plus beaux fruits à travers les barreaux. Ce geste me valut une caresse de Zira, qui venait d'entrer. Je fis le gros dos comme un chat sous sa main velue, au grand déplaisir de Nova, que ces démonstrations mettaient en rage et qui se mit aussitôt à s'agiter et à gémir.

Je me distinguai dans bien d'autres épreuves ; mais surtout, écoutant avec attention, je réussis à retenir quelques mots simples du langage simien et à en comprendre le sens. Je m'exerçais à les prononcer quand Zira passait devant ma cage et elle paraissait de plus en plus stupéfaite. J'en étais à ce stade quand eut lieu la nouvelle inspection de Zaïus.

Il était encore escorté de sa secrétaire, mais accompagné aussi d'un autre orang-outan, solennel comme lui, comme lui décoré et qui causait avec lui sur un pied d'égalité. Je supposai qu'il s'agissait d'un confrère, appelé en consultation pour le cas troublant que je représentais. Ils entamèrent une longue discussion devant ma cage, avec Zira qui les avait rejoints. La guenon parla longtemps et avec véhémence. Je savais qu'elle était en train de plaider ma cause, mettant en relief l'acuité exceptionnelle, qu'on ne pouvait plus contester. Son intervention n'eut d'autre résultat que de provoquer un sourire d'incrédulité chez les deux savants.

Je fus encore incité à subir devant eux les tests où je m'étais montré si adroit. Le dernier consistait à ouvrir une boîte fermée par neuf systèmes différents (verrou, goupille, clef, crochet, etc.). Sur Terre, Kinnaman, je crois, avait inventé un appareil semblable pour évaluer le discernement des singes et ce problème était le plus compliqué que certains eussent réussi à résoudre. Il devait en être de même ici, pour les hommes. Je m'en étais tiré à mon honneur, après quelques tâtonnements.

Zira me tendit la boîte elle-même et je compris à son air suppliant qu'elle souhaitait ardemment me voir faire une brillante démonstration, comme si sa propre réputation était engagée dans l'épreuve. Je m'appliquai à la satisfaire et fis jouer les neuf mécanismes en un clin d'œil, sans aucune hésitation. Je ne m'en tins pas là. Je sortis le fruit que contenait la boîte et l'offris galamment à la guenon. Elle l'accepta en rougissant. Ensuite, je fis étalage de toutes mes connaissances et prononçai les quelques mots que j'avais appris, en montrant du doigt les objets correspondants.

Pour le coup, il me paraissait impossible qu'ils pussent avoir encore des doutes sur ma véritable condition. Hélas ! je ne connaissais pas encore l'aveuglement des orangs-outans ! Ils esquissèrent de nouveau ce sourire sceptique qui me mettait en fureur, firent taire Zira et recommencèrent à discuter entre eux. Ils m'avaient écouté comme si j'étais un perroquet. Je sentais qu'ils s'accordaient pour attribuer mes talents à une sorte d'instinct et à un sens aigu de l'imitation. Ils avaient probablement adopté la règle scientifique qu'un savant de chez nous résumait ainsi : « *In no case may we interpret an action as the outcome of the exercise of a higher psychical faculty if it can be interpreted as the out-*

come of one which stands lower in the psychological scale[1]. ».

Tel était le sens évident de leur jargon et je commençais à écumer de rage. Peut-être me serai-je laissé aller à quelque éclat, si je n'avais surpris un coup d'œil de Zira. Il apparaissait clairement qu'elle n'était pas d'accord avec eux et se sentait honteuse de les entendre tenir ces propos devant moi.

Son confrère ayant fini par s'en aller, après avoir sans doute émis une opinion catégorique sur mon compte, Zaïus se livra à d'autres exercices. Il fit le tour de la salle, examinant en détail chacun des captifs et donnant de nouvelles instructions à Zira, qui les notait au fur et à mesure. Sa mimique semblait présager de nombreux changements dans l'occupation des cages. Je ne fus pas long à pénétrer son plan et à comprendre le sens des comparaisons manifestes qu'il établissait entre certains caractères de tel homme et ceux de telle femme.

Je ne m'étais pas trompé. Les gorilles exécutaient maintenant les ordres du grand patron, après que Zira les eut transmis. Nous fûmes répartis par couples. Quelles diaboliques épreuves présageait donc cet appariement ? Quelles particularités de la race humaine ces singes désiraient-ils étudier, avec la rage d'expérimentation qui les possédait ? Ma connaissance des laboratoires biologiques m'avait suggéré la réponse : pour un savant qui s'est donné l'instinct et les réflexes comme champ d'investigation, l'instinct sexuel présente un intérêt primordial.

C'était cela ! Ces démons voulaient étudier sur nous, sur moi, qui me trouvais mêlé au troupeau par l'extravagance du destin, les pratiques amoureuses des hommes, les méthodes d'approche du mâle et de la femelle,

1. Nous ne devons en aucun cas interpréter un acte comme la conséquence de l'exercice d'une haute faculté psychique, si cet acte peut être interprété comme dicté par une faculté située en dessous de celle-ci dans l'échelle psychologique. (C. L. Morgan.)

les façons qu'ils ont de s'accoupler en captivité, pour les comparer peut-être avec des observations antérieures sur les mêmes hommes en liberté. Sans doute aussi désiraient-ils se livrer à des expériences de sélection ?

Dès que j'eus pénétré leur dessein, je me sentis humilié comme je ne l'avais jamais été et je fis le serment de mourir plutôt que de me prêter à ces manœuvres dégradantes. Cependant, ma honte fut réduite dans de notables proportions, je suis obligé de l'avouer, quoique ma résolution restât ferme, quand je vis la femme que la science m'avait assignée comme compagne. C'était Nova. Je fus presque enclin à pardonner sa sottise et son aveuglement au vieil olibrius et je ne protestai d'aucune manière quand Zoram et Zanam, m'ayant empoigné à bras-le-corps, me jetèrent aux pieds de la nymphe du torrent.

CHAPITRE XVII

Je ne raconterai pas en détail les scènes qui se déroulèrent dans les cages pendant les semaines qui suivirent. Comme je l'avais deviné, les singes s'étaient mis en tête d'étudier le comportement amoureux des humains et ils apportaient à ce travail leur méthode habituelle, notant les moindres circonstances, s'ingéniant à provoquer les rapprochements, intervenant parfois avec leurs piques pour ramener à la raison un sujet récalcitrant.

J'avais commencé moi-même à faire quelques observations, pensant en agrémenter le reportage que je comptais publier lors de mon retour sur la Terre ; mais je me lassai vite, ne trouvant rien de vraiment piquant à noter ; rien, si ce n'est tout de même l'étrange manière dont l'homme faisait sa cour à la femme avant de s'approcher d'elle. Il se livrait à une parade tout à fait semblable à celle qu'exécutaient certains oiseaux ; une sorte de danse lente, hésitante, composée de pas en avant, en arrière et de côté. Il se mouvait ainsi suivant un cercle qui allait en se rétrécissant, un cercle dont le centre était occupé par la femme, qui se contentait de tourner sur elle-même sans se déplacer. J'assistai avec intérêt à plusieurs de ces parades, dont le rite essentiel était toujours le même, les détails pouvant varier parfois. Quant à l'accouplement qui concluait ces préliminaires, bien que je fusse un peu éberlué les premières fois d'en être le témoin, j'en arrivai très vite à ne pas lui accorder plus d'attention que les autres prisonniers. Le seul élément surprenant de ces exhibitions était la gravité scientifique avec laquelle les singes les épiaient, sans jamais négliger d'en noter le déroulement dans leur carnet.

Ce fut une autre affaire quand, s'apercevant que je ne me livrais pas à ces ébats — je l'avais juré, rien n'eût pu m'inciter à me donner ainsi en spectacle —, les gorilles se mirent en tête de m'y contraindre par la force et commencèrent à m'asticoter à coups de pique, moi, Ulysse Mérou, moi, un homme créé à l'image de la divinité ! Je me rebiffai avec énergie. Ces brutes ne voulaient rien entendre et je ne sais ce qui serait advenu de moi sans la venue de Zira, à qui ils rapportèrent ma mauvaise volonté.

Elle réfléchit longtemps, puis s'approcha de moi en me regardant de ses beaux yeux intelligents et se mit à me tapoter la nuque en me tenant un langage que j'imaginais ainsi :

« Pauvre petit homme, semblait-elle dire. Que tu es bizarre ! On n'a jamais vu un des tiens se comporter ainsi. Regarde les autres autour de toi. Fais ce qu'on te demande et tu seras récompensé. »

Elle sortit un morceau de sucre de sa poche et me le tendit. J'étais désespéré. Elle aussi me considérait donc comme un animal, un peu plus intelligent que les autres, peut-être. Je secouai la tête d'un air rageur et allai me coucher à un bout de la cage, loin de Nova, qui me regardait d'un œil incompréhensif.

L'affaire en serait sans doute restée là si le vieux Zaïus n'était apparu en cet instant, plus outrecuidant que jamais. Il était venu voir le résultat de ses expériences et il s'informa d'abord de moi, suivant son habitude. Zira fut obligée de le mettre au courant de mon caractère récalcitrant. Il parut fort mécontent, se promena pendant une minute les mains derrière le dos, puis donna des ordres impériaux. Zoram et Zanam ouvrirent ma cage, m'enlevèrent Nova et m'amenèrent à sa place une matrone d'âge mûr. Ce cuistre de Zaïus, tout imprégné de méthode scientifique, décidait de tenter la même expérience avec un sujet différent.

Ce n'était pas là le pire et je ne pensais même plus à mon triste sort. Je suivais avec des yeux angoissés mon amie Nova. Je la vis avec horreur enfermée dans la cage d'en face, jetée en pâture à un homme aux larges épaules, une sorte de colosse à la poitrine velue, qui se mit aussitôt à danser autour d'elle, commençant avec une ardeur frénétique la parade d'amour que j'ai décrite.

Dès que je m'aperçus du manège de cette brute, j'oubliai mes sages résolutions. Je perdis l'esprit et me conduisis une fois de plus comme un insensé. En vérité, j'étais littéralement fou de rage. Je hurlai, je ululai, à la manière des hommes de Soror. Je manifestai ma fureur comme eux, en me jetant contre les barreaux, les mordant, bavant, grinçant des dents, me comportant en résumé de la façon la plus bestiale.

Et le plus surprenant dans cet état, ce fut son résultat inattendu. En me voyant agir ainsi, Zaïus sourit. C'était la première marque de bienveillance qu'il m'accordait. Il avait enfin reconnu la manière des hommes et se retrouvait en terrain familier. Sa thèse triomphait. Il était même dans de si bonnes dispositions qu'il consentit, sur une remarque de Zira, à revenir sur ses ordres et à me donner une dernière chance. On m'enleva l'affreuse matrone et Nova me fut rendue, avant que la brute l'eût touchée. Le groupe des singes se recula alors et tous se mirent à m'épier à quelque distance.

Qu'ajouterai-je ? Ces émotions avaient brisé ma résistance. Je sentais que je ne pourrais supporter la vision de ma nymphe livrée à un autre homme. Je me résignai lâchement à la victoire de l'orang-outan, qui riait maintenant de son astuce. J'esquissai un pas de danse timide.

Oui ! moi, un des rois de la création, je commençai à tourner en rond autour de ma belle. Moi, l'ultime chef-d'œuvre d'une évolution millénaire, devant tous ces singes assemblés qui m'observaient avec avidité, devant un vieil orang-outan qui dictait des notes à sa secrétaire, devant un chimpanzé femelle qui souriait d'un air complaisant, devant deux gorilles ricanants, moi, un homme, invoquant l'excuse de circonstances cosmiques exceptionnelles, bien persuadé en cet instant qu'il existe plus de choses sur les planètes et dans le ciel que n'en a jamais rêvé la philosophie humaine, moi, Ulysse Mérou, j'entamai à la façon des paons, autour de la merveilleuse Nova, la parade de l'amour.

DEUXIÈME PARTIE

CHAPITRE PREMIER

Il me faut maintenant confesser que je m'adaptai avec une aisance remarquable aux conditions de vie dans ma cage. Au point de vue matériel, je vivais dans une félicité parfaite : dans la journée, les singes étaient aux petits soins pour moi ; la nuit, je partageais la litière d'une des plus belles filles du cosmos. Je m'accoutumai même si bien à cette situation que, pendant plus d'un mois, sans ressentir son extravagance ni ce qu'elle avait de dégradant, je ne fis aucune tentative sérieuse pour y mettre un terme. C'est à peine si j'appris quelques nouveaux mots du langage simien. Je ne poursuivis pas mes efforts pour entrer en communication avec Zira, de sorte que celle-ci, si elle avait eu un moment l'intuition de ma nature spirituelle, devait se laisser convaincre par Zaïus et me considérer comme un homme de sa planète, c'est-à-dire un animal ; un animal intelligent, peut-être, mais en aucune façon intellectuel.

Ma supériorité sur les autres prisonniers, que je ne poussais plus jusqu'au point d'effrayer les gardiens, faisait de moi le sujet brillant de l'établissement. Cette distinction, je l'avoue à ma honte, suffisait à mon ambition présente et même me remplissait d'orgueil. Zoram et Zanam me témoignaient de l'amitié, prenant plaisir à me voir sourire, rire et prononcer quelques mots. Après avoir épuisé avec moi tous les tests classiques, ils s'ingéniaient à en inventer d'autres, plus subtils, et nous nous réjouissions ensemble lorsque je trouvais la solution du problème. Ils ne manquaient jamais de m'apporter quelque friandise, que je partageais toujours avec Nova. Nous étions un couple privilégié. J'avais la fatuité de penser que ma compagne se rendait compte de tout ce qu'elle devait à mes talents et je passais une partie de mon temps à me rengorger devant elle.

Un jour pourtant, après plusieurs semaines, je ressentis une sorte de nausée. Était-ce le reflet dans la prunelle de Nova qui m'avait paru, cette nuit-là, particulièrement inexpressif ? Était-ce le morceau de sucre dont Zira venait de me gratifier qui prenait subitement un goût amer ? Le fait est que je rougis de ma lâche résignation. Que penserait de moi le professeur Antelle, si par hasard il vivait encore et me retrouvait dans cet état ? Cette idée me devint vite insupportable et je décidai sur-le-champ de me conduire en homme civilisé. Caressant le bras de Zira en guise de remerciement, je m'emparai de son carnet et de son stylo. Je bravai ses douces remontrances et, m'asseyant sur la paille, j'entrepris de tracer la silhouette de Nova. Je suis assez bon dessinateur et, le modèle m'inspirait, je réussis à faire une esquisse convenable, que je tendis à la guenon.

Ceci réveilla aussitôt son émoi et son incertitude à mon sujet. Son museau rougit et elle se mit à me dévisager en tremblant un peu. Comme elle restait interdite, je repris avec autorité le carnet, qu'elle m'abandonna cette fois sans protester. Comment n'avais-je pas utilisé plus tôt ce moyen simple ? Rassemblant mes souvenirs scolaires, je traçai la figure géométrique qui illustre le théorème de Pythagore. Ce n'est pas au hasard que je choisis cette proposition. Je me rappelais avoir lu dans ma jeunesse un livre d'anticipation, où un tel procédé était employé par un vieux savant pour entrer en contact avec les intelligences d'un autre monde. J'en avais même discuté, au cours du voyage, avec le professeur Antelle, qui approuvait cette méthode. Il avait même ajouté, je m'en souvenais fort bien, que les règles d'Euclide, étant complètement fausses, devaient, à cause de cela, être universelles.

En tout cas, l'effet sur Zira fut extraordinaire. Son mufle devint pourpre et elle poussa une violente exclamation. Elle ne se ressaisit que lorsque Zoram et Zanam s'approchèrent, intrigués pas son attitude. Alors, elle eut une réaction qui me parut curieuse, après m'avoir lancé un coup d'œil furtif : elle dissimulait soigneusement les dessins que je venais de tracer. Elle parla aux gorilles, qui quittèrent la salle, et je compris qu'elle les éloignait sous un prétexte quelconque. Ensuite, elle se retourna vers moi et me saisit la main, la pression de ses doigts ayant une tout autre signification que lorsqu'elle me flattait comme un jeune animal, après un tour réussi. Elle me présenta enfin le carnet et le stylo d'un air suppliant.

C'est elle, à présent, qui se montrait avide d'établir un contact. Je remerciai Pythagore et m'engageai un peu plus loin sur la voie géométrique. Sur une page du carnet, je dessinai de mon mieux les trois coniques, avec leurs axes et leurs foyers : une ellipse, une parabole et une hyperbole. Puis, sur la page d'en face, je traçai un cône de révolution. Je me rappelle ici que l'intersection d'un tel corps par un plan est l'une des trois coniques, suivant l'angle de coupe. Je fis la figure dans le cas de l'ellipse et, revenant à mon premier dessin, j'indiquai du doigt la courbe correspondante à ma guenon émerveillée.

Elle m'arracha le carnet des mains, traça à son tour un autre cône, coupé par un plan sous un angle différent, et me désigna l'hyperbole de son long doigt. Je me sentis bouleversé par une émotion si intense que des larmes me vinrent aux yeux et que j'étreignis convulsivement ses mains. Nova glapit de colère, au fond de la cage. Son instinct ne la trompait pas sur le sens de ces effusions. C'était une communion spirituelle qui venait de s'établir entre Zira et moi, par le truchement de la géométrie. J'en éprouvais une satisfaction presque sensuelle et je sentais la guenon profondément troublée, elle aussi.

Elle se dégagea d'un geste brusque et sortit en courant de la salle. Son absence ne dura pas longtemps ; mais, pendant cet intervalle, je restai plongé dans un rêve, sans oser regarder Nova, envers qui j'éprouvais presque un sentiment de culpabilité et qui tournait autour de moi en grondant.

Quand Zira revint, elle me tendit une grande feuille de papier, fixée sur une planche à dessin. Je réfléchis quelques secondes et résolus de porter un coup décisif. Dans un coin de la feuille, je figurai le système de Bételgeuse, tel que nous l'avions découvert à notre arrivée, avec l'astre central géant et ses quatre planètes. Je marquai Soror dans sa position exacte, avec son petit satellite ; je la désignai du doigt à Zira, puis pointai mon index vers elle, avec insistance. Elle me fit signe qu'elle avait parfaitement compris.

Alors, dans un autre angle de la feuille, je dessinai mon vieux système solaire, avec ses planètes principales. J'indiquai la Terre et je retournai le doigt contre ma propre poitrine.

Cette fois, Zira hésitait à comprendre. Elle montra elle aussi la Terre, puis dirigea son doigt vers le ciel. Je fis un signe affirmatif. Elle était médusée et un travail laborieux se faisait en elle. Je l'aidai de mon mieux en traçant encore une ligne pointillée depuis la Terre jusqu'à Soror et en représentant notre vaisseau, à une échelle différente, sur la trajectoire. Cela fut pour elle un trait de lumière. J'étais maintenant certain que ma véritable nature et mon origine lui étaient connues. Elle eut un nouvel élan pour se rapprocher de moi, mais, à cet instant Zaïus apparut au bout du couloir pour son inspection périodique.

La guenon eut un regard terrifié. Elle roula vivement la feuille de papier, empocha son carnet et, avant que l'orang-outan se fût approché, porta son index à sa bouche dans un geste suppliant. Elle me recommandait de ne pas me démasquer à Zaïus. Je lui obéis, sans comprendre la raison de ces mystères et, certain d'avoir en elle une alliée, je repris mon attitude d'animal intelligent.

CHAPITRE II

Dès lors, grâce à Zira, ma connaissance du monde et du langage simiens fit de rapides progrès. Elle s'arrangeait pour me voir seule presque chaque jour, sous prétexte de tests particuliers, et entreprit de faire mon éducation, m'enseignant sa langue et apprenant en même temps la mienne avec une rapidité qui me stupéfia. En moins de deux mois, nous fûmes à même de tenir une conversation sur des sujets très divers. Je pénétrai peu à peu l'esprit de la planète Soror et ce sont les traits de cette civilisation que je veux maintenant essayer de décrire.

Aussitôt que nous pûmes nous entretenir, Zira et moi, ce fut vers le sujet principal de ma curiosité que j'orientai la conversation. Les singes étaient-ils bien les seuls êtres pensants, les rois de la création sur la planète ?

« Qu'imagines-tu dit-elle. Le singe est, bien sûr, la seule créature raisonnable, la seule possédant une âme en même temps qu'un corps. Les plus matérialistes de nos savants reconnaissent l'essence surnaturelle de l'âme simienne. »

Des phrases comme celle-ci me faisaient toujours sursauter malgré moi.

« Alors, Zira, que sont les hommes ? »

Nous parlions alors en français car, comme je l'ai dit,

elle fut plus prompte à apprendre ma langue que moi la sienne, et le tutoiement avait été instinctif. Il y eut bien au début, quelques difficultés d'interprétation, les mots « singe » et « homme » n'évoquant pas pour nous les mêmes créatures ; mais cet inconvénient fut vite aplani. Chaque fois qu'elle prononçait : singe, je traduisais : être supérieur ; sommet de l'évolution. Quand elle parlait des hommes, je savais qu'il était question de créatures bestiales, douées d'un certain sens d'imitation, présentant quelques analogies anatomiques avec les singes, mais d'un psychisme embryonnaire et dépourvues de conscience.

« Il y a à peine un siècle, déclara-t-elle sur un ton doctoral, que nous avons fait des progrès remarquables sur la connaissance des origines. On croyait autrefois les espèces immuables, créées avec leurs caractères actuels par un Dieu tout-puissant. Mais une lignée de grands penseurs, tous des chimpanzés, ont totalement modifié nos idées à ce sujet. Nous savons qu'elles ont eu probablement toutes une souche commune.

— Le singe descendrait-il de l'homme ?

— Certains l'ont cru ; mais ce n'est pas exactement cela. Singes et hommes sont des rameaux différents, qui ont évolué, à partir d'un certain point, dans des directions divergentes, les premiers se haussant peu à peu jusqu'à la conscience, les autres stagnant dans leur animalité. Beaucoup d'orangs-outans, d'ailleurs, s'obstinent encore à nier cette évidence.

— Tu disais, Zira... une lignée de grands penseurs, tous des chimpanzés ? »

Je rapporte ces entretiens tels qu'ils eurent lieu, à bâtons rompus, ma soif d'apprendre entraînant Zira dans de nombreuses et longues digressions.

« Presque toutes les grandes découvertes, affirmat-elle avec véhémence, ont été faites par des chimpanzés.

— Y aurait-il des castes parmi les singes ?

— Il y a trois familles distinctes, tu t'en es bien aperçu, qui ont chacune leurs caractères propres : les chimpanzés, les gorilles et les orangs-outans. Les barrières de race, qui existaient autrefois, ont été abolies et les querelles qu'elles suscitaient apaisées, grâce surtout aux campagnes menées par les chimpanzés. Aujourd'hui, en principe, il n'y a plus de différences entre nous.

— Mais la plupart des grandes découvertes, insistai-je, ont été faites par des chimpanzés.

— C'est un fait.

— Et les gorilles ?

— Ce sont des mangeurs de viande, dit-elle avec dédain. Ils étaient autrefois des seigneurs et beaucoup ont gardé le goût de la puissance. Ils aiment organiser et diriger. Ils adorent la chasse et la vie au grand air. Les plus pauvres se louent pour des travaux qui exigent de la force.

— Quant aux orangs-outans ? »

Zira me regarda un moment, puis éclata de rire.

« Ils sont la science officielle, dit-elle. Tu l'as déjà constaté et tu auras bien d'autres occasions de le vérifier. Ils apprennent énormément de choses dans les livres. Ils sont tous décorés. Certains sont considérés comme des lumières dans une spécialité étroite, qui demande beaucoup de mémoire. Pour le reste... »

Elle eut un geste méprisant. Je n'insistai pas sur ce sujet, me réservant d'y revenir plus tard. Je la ramenai à des notions plus générales. Sur ma demande, elle me dessina l'arbre généalogique du singe, tel que les meilleurs spécialistes l'avaient reconstitué. Cela ressemblait beaucoup aux schémas qui représentent chez nous le processus évolutif. D'un tronc, qui se perdait à la base dans l'inconnu, diverses branches se détachaient successivement : des végétaux, des organismes unicellulaires, puis des cœlentérés, des échinodermes ; plus haut, on arrivait aux poissons, aux reptiles et enfin aux mammifères. L'arbre se prolongeait avec une classe analogue à nos anthropoïdes. Là, un nouveau rameau se détachait, celui des hommes. Il s'arrêtait court, tandis que la tige centrale continuait à s'élever, donnant naissance à différentes espèces de singes préhistoriques aux noms barbares, pour aboutir finalement au *simius sapiens*, qui formait les trois pointes extrêmes de l'évolution : le chimpanzé, le gorille et l'orang-outan. C'était très clair.

« Le cerveau du singe, conclut Zira, s'est développé, compliqué et organisé, tandis que celui de l'homme n'a guère subi de transformation.

— Et pourquoi, Zira, le cerveau simien s'est-il ainsi développé ? »

Le langage avait certainement été un facteur essentiel. Mais pourquoi les singes parlaient-ils et pas les hommes ? Les opinions des savants divergeaient sur ce point. Certains voyaient là une mystérieuse intervention divine. D'autres soutenaient que l'esprit du singe tenait avant tout à ce qu'il possédait quatre mains agiles.

« Avec deux mains seulement, aux doigts courts et malhabiles, dit Zira, il est probable que l'homme a été handicapé dès la naissance, incapable de progresser et d'acquérir une connaissance précise de l'univers. A cause de cela, il n'a jamais pu se servir d'un outil avec adresse... Oh ! il est possible qu'il ait essayé, maladroitement, autrefois... On a trouvé des vestiges curieux. Bien des recherches sont effectuées en ce moment même à ce sujet. Si ces questions t'intéressent, je te ferai rencontrer un jour Cornélius. Il est beaucoup plus qualifié que moi pour en discuter.

— Cornélius ?

— Mon fiancé, dit Zira en rougissant. Un très grand, un vrai savant.

— Un chimpanzé ?

— Bien sûr... Oui, conclut-elle, je suis, moi, de cet avis : le fait que nous soyons quadrumanes est un des facteurs les plus importants de notre évolution spirituelle. Cela nous a servi d'abord à nous élever dans les arbres, à concevoir ainsi les trois dimensions de l'espace, tandis que l'homme, cloué sur le sol par une malformation physique s'endormait dans le plan. Le goût de l'outil nous est venu ensuite parce que nous avions la possibilité de nous en servir avec adresse. Les réalisations ont suivi et c'est ainsi que nous nous sommes haussés jusqu'à la sagesse. »

Sur la Terre, j'avais souvent entendu invoquer des arguments opposés pour expliquer la supériorité de l'homme. Après réflexion, toutefois, le raisonnement de Zira ne me parut ni plus ni moins convaincant que le nôtre.

J'aurais bien voulu poursuivre cette conversation, et j'avais encore mille questions à poser, quand nous fûmes interrompus par Zoram et Zanam, qui apportaient le repas du soir. Zira me souhaita furtivement une bonne nuit et s'en alla.

Je restai dans ma cage, avec Nova pour seule compagnie. Nous avions fini de manger. Les gorilles s'étaient retirés après avoir éteint les lumières, sauf une à l'entrée, qui répandait une faible lueur. Je regardais Nova, en méditant sur ce que j'avais appris dans la journée. Il était manifeste qu'elle n'aimait pas Zira et qu'elle ressentait du dépit de ces entretiens. Au début, même, elle avait protesté à sa manière et tenté de s'interposer entre moi et la guenon, bondissant dans sa cage, arrachant des poignées de paille et les jetant à la tête de l'intruse. J'avais dû employer la manière forte pour la faire tenir tranquille. Après avoir reçu quelques claques retentissantes sur sa croupe délicate, elle avait fini par se calmer. Je m'étais laissé aller à ces geste brutaux presque sans réfléchir ; ensuite j'en avais eu du remords, mais elle ne semblait pas m'en garder rancune.

L'effort intellectuel que j'avais fait pour assimiler les théories évolutionnistes simiennes me laissait déprimé. Je fus heureux quand je vis Nova s'approcher de moi dans la pénombre et solliciter à sa façon les caresses mi-humaines mi-animales dont nous avions peu à peu élaboré le code ; code singulier, dont le détail importe peu, fait de compromis et de concessions réciproques aux usages du monde civilisé et aux mœurs de cette humanité insolite qui peuplait la planète Soror.

CHAPITRE III

C'était un grand jour pour moi. Cédant à mes prières, Zira avait accepté de me sortir de l'Institut des hautes études biologiques — c'était le nom de l'établissement — et de m'emmener faire un tour en ville.

Elle ne s'y était décidée qu'après de longues hésitations. Il m'avait fallu du temps pour la convaincre définitivement de mon origine. Si elle admettait l'évidence quand elle était avec moi, ensuite, elle se reprenait à douter. Je me mettais à sa place. Elle ne pouvait qu'être profondément choquée par ma description des hommes et surtout des singes sur notre Terre. Elle m'avoua par la suite qu'elle avait préféré pendant longtemps me considérer comme un sorcier ou un charlatan plutôt que d'admettre mes affirmations. Cependant, devant les précisions et les preuves que j'accumulais, elle finit par avoir entière confiance en moi et même à former des plans pour me faire recouvrer la liberté, ce qui n'était pas facile, comme elle me l'expliqua ce même jour. En attendant, elle vint me chercher au début de l'après-midi pour une promenade.

Je sentis mon cœur battre à la pensée de me retrouver à l'air libre. Mon enthousiasme fut un peu rabattu quand je m'aperçus qu'elle allait me tenir en laisse. Les gorilles me tirèrent de la cage, repoussèrent la porte au nez de Nova et me passèrent au cou un collier de cuir, auquel était fixée une solide chaîne. Zira saisit l'autre bout et m'entraîna, tandis qu'un lamentable ululement de Nova me serrait le cœur. Mais quand je manifestai un peu de pitié à son égard, lui faisant un geste amical, la guenon parut mécontente et me tira par le cou sans ménagement. Depuis qu'elle s'était convaincue que j'avais un esprit de singe, mon intimité avec cette fille la contrariait et la choquait.

Sa mauvaise humeur disparut quand nous fûmes seuls dans un couloir désert et obscur.

« Je suppose, dit-elle en riant, que les homme de ta Terre n'ont pas l'habitude d'être tenus ainsi en laisse et conduits par un singe ? »

Je l'assurai qu'ils n'en étaient pas coutumiers. Elle s'excusa, m'expliquant que si certains hommes apprivoisés pouvaient être promenés dans les rues sans causer de scandale, il était normal que je fusse attaché. Par la suite, si je me montrais vraiment docile, il n'était pas impossible qu'elle pût me sortir sans entraves.

Et, oubliant en partie ma vraie condition, comme cela lui arrivait encore souvent, elle me fit mille recommandations qui m'humilièrent profondément.

« Surtout ne va pas t'aviser de te retourner vers les passants en leur montrant les dents ou de griffer un enfant sans méfiance qui s'approcherait pour te caresser. Je n'ai pas voulu te mettre de muselière mais... »

Elle s'arrêta et éclata de rire.

« Pardon ! pardon ! s'écria-t-elle, j'oublie toujours que tu as de l'esprit comme un singe. »

Elle me donna une petite tape d'amitié pour se faire pardonner. Sa gaieté dissipa mon humeur naissante. J'aimais l'entendre rire. L'impuissance de Nova à manifester ainsi sa joie me faisait parfois soupirer. Je partageai l'hilarité de la guenon. Dans la pénombre du vestibule je ne distinguais presque plus ses traits, à peine le bout blanc du museau. Elle avait mis pour sortir un tailleur pimpant et un bonnet d'étudiante qui dissimulait ses oreilles. J'oubliai un instant sa condition simienne et lui pris le bras. Elle trouva mon geste naturel et se laissa faire. Nous fîmes quelques pas ainsi, serrés l'un contre l'autre. A l'extrémité du couloir éclairée par une fenêtre latérale, elle retira vivement son bras et me repoussa. Redevenue sérieuse, elle tira sur la chaîne.

« Il ne faut pas te tenir ainsi, dit-elle, un peu oppressée. D'abord, je suis fiancée et...

— Tu es fiancée ! »

L'incohérence de cette remarque à propos de ma familiarité lui apparut en même temps qu'à moi. Elle se reprit en rougissant du museau.

« Je veux dire : personne ne doit encore soupçonner ta nature. C'est dans ton intérêt, je te l'assure. »

Je me résignai et me laissai entraîner avec docilité. Nous sortîmes. Le concierge de l'Institut, un gros gorille revêtu d'un uniforme, nous laissa passer en m'observant d'un œil curieux, après avoir salué Zira. Sur le trottoir, je chancelai un peu, étourdi par le mouvement et ébloui par l'éclat de Bételgeuse, après plus de trois mois d'internement. J'aspirai l'air tiède à pleins poumons ; en même temps, je rougissais de me sentir nu. Je m'y étais accoutumé dans ma cage ; mais ici, je me trouvais grotesque et indécent, sous les yeux des passants-singes qui me dévisageaient avec insistance. Zira avait catégoriquement refusé de me vêtir, soutenant que j'aurais été encore plus ridicule habillé, ressemblant alors à l'un de ces hommes savants que l'on montre dans les foires. Elle avait sans doute raison. En fait, si les passants se retournaient, c'est bien parce que j'étais un homme, et non pas un homme nu, une espèce qui suscitait dans les rues la même sorte de curiosité qu'un chimpanzé dans une cité française. Les adultes passaient leur chemin après avoir ri. Quelques singes s'attroupèrent autour de moi, ravis du spectacle. Zira me tira très vite vers sa voiture, me fit monter sur le siège arrière, s'installa à la place du conducteur et me pilota à petite allure dans les rues.

La ville — capitale d'une importante région simienne — je l'avais seulement entrevue à mon arrivée, et il fallait bien me résigner maintenant à la voir peuplée de singes piétons, de singes automobilistes, de singes commerçants, de singes affairés et de singes en uniforme préposés au maintien de l'ordre. Ceci admis, elle ne me produisit pas une impression extraordinaire. Les maisons étaient semblables aux nôtres ; les rues, assez sales, comme nos rues. La circulation était moins dense que chez nous. Ce qui me frappa le plus, ce fut la façon dont les piétons traversaient les voies. Il n'y avait pas pour eux de passages cloutés, mais des chemins aériens, constitués par un treillis métallique à larges mailles, auquel ils s'accrochaient de leurs quatre mains. Tous étaient chaussés de gants de cuir souple, qui n'empêchaient pas la préhension.

Quand elle m'eut bien promené, de façon à me donner une idée d'ensemble de la ville, Zira arrêta sa voiture devant une haute grille, à travers laquelle on distinguait des massifs de fleurs.

« Le parc, me dit-elle. Nous allons pouvoir marcher un peu. J'aurais voulu te montrer d'autres choses, nos musées, par exemple, qui sont remarquables ; mais cela n'est pas encore possible. »

Je l'assurai que j'étais enchanté de me dégourdir les jambes.

« Et puis, ajouta-t-elle, ici nous serons tranquilles. Il n'y a que peu de monde et il est temps que nous ayons une conversation sérieuse. »

CHAPITRE IV

« Tu ne te rends pas compte, je crois, des dangers que tu cours chez nous ?

— J'en ai déjà connu quelques-uns ; mais il me semble que si je me démasquais, et je peux le faire maintenant en donnant des preuves, les singes devraient m'admettre comme leur frère spirituel.

— C'est là où tu es dans l'erreur. Écoute-moi... »

Nous nous promenions dans le parc. Les allées étaient presque désertes et nous n'avions guère rencontré que quelques couples d'amoureux ; chez qui ma présence n'excitait qu'une brève curiosité. Moi, par contre, je les observais sans vergogne, bien décidé à ne laisser échapper aucune occasion de m'instruire sur les mœurs simiennes.

Ils marchaient à petits pas, se tenant par la taille, la longueur de leurs bras faisant de cet enlacement un réseau serré et compliqué. Ils s'arrêtaient souvent au détour d'une allée pour échanger des baisers. Parfois aussi, après avoir jeté un regard furtif autour d'eux, ils agrippaient les basses branches d'un arbre et quittaient le sol. Ils faisaient cela sans se séparer, s'aidant chacun d'un pied et d'une main avec une aisance que je leur enviais, et disparaissaient bientôt dans le feuillage.

« Écoute-moi, dit Zira. Ta chaloupe — je lui avais expliqué en détail comment nous étions parvenus jusqu'à la planète — ta chaloupe a été découverte ; du

100

moins, ce qu'il en reste après sa mise à sac. Elle excite la curiosité de nos chercheurs. Ils ont reconnu qu'elle n'a pu être fabriquée chez nous.

— Construisez-vous des engins analogues ?

— Pas aussi perfectionnés. D'après ce que tu m'as appris, nous sommes encore bien en retard sur vous. Nous avons cependant déjà lancé des satellites artificiels autour de notre planète, le dernier étant même occupé par un être vivant : un homme. Nous avons dû le détruire en vol, faute de pouvoir le récupérer.

— Je vois, fis-je rêveur. Les hommes vous servent aussi pour ce genre d'expérience.

— Il le faut bien... Donc, ta fusée a été découverte.

— Et notre vaisseau, qui gravite depuis deux mois autour de Soror ?

— Je n'ai rien entendu à ce sujet. Il a dû échapper à nos astronomes ; mais ne m'interromps pas constamment. Certains de nos savants ont émis l'hypothèse que l'engin vient d'une autre planète et qu'il était habité. Ils ne peuvent aller plus loin et imaginer que des êtres intelligents aient une forme humaine.

— Mais il faut le leur dire, Zira ! m'écriais-je. J'en ai assez de vivre prisonnier, même dans la plus confortable des cages, même soigné par toi. Pourquoi me caches-tu ? Pourquoi ne pas révéler la vérité à tous ? »

Zira s'arrêta, regarda autour de nous et posa la main sur mon bras.

« Pourquoi ? C'est uniquement dans ton intérêt que j'agis ainsi. Tu connais Zaïus ?

— Certes. Je voulais te parler de lui. Et alors ?

— As-tu remarqué l'effet produit sur lui par tes premiers essais de manifestation raisonnable ? Sais-tu que j'ai essayé cent fois de le sonder à ton sujet et de suggérer — oh ! avec quelle prudence ! — que tu n'étais peut-être pas une bête, malgré les apparences ?

— J'ai vu que vous aviez de longues discussions et que vous n'étiez pas d'accord.

— Il est têtu comme une mule et stupide comme un homme ! éclata Zira. Hélas ! c'est le cas de presque tous les orangs-outans. Il a décrété une fois pour toutes que tes talents s'expliquent par un instinct animal très développé, et rien ne le fera changer d'avis. Le malheur, c'est qu'il a déjà préparé une longue thèse sur ton cas, où il démontre que tu es *un homme savant*, c'est-à-dire un homme qui a été dressé à accomplir certains actes sans les comprendre, probablement au cours d'une captivité antérieure.

— Le stupide animal !

— Certes. Seulement, il représente la science officielle et il est puissant. C'est une des plus hautes autorités de l'Institut et tous mes rapports doivent passer par lui. J'ai acquis la conviction qu'il m'accuserait d'hérésie scientifique si j'essayais de révéler la vérité sur ton cas, comme tu le désires. Je serais renvoyée. Cela n'est rien, mais sais-tu alors ce qui pourrait t'advenir ?

— Quel sort est plus pitoyable que la vie dans une cage ?

— Ingrat ! Tu ne sais donc pas que j'ai dû déployer toute ma ruse pour l'empêcher de te faire transférer à la section encéphalique ? Rien ne pourrait le retenir si tu t'obstinais à prétendre être une créature consciente.

— Qu'est-ce que la section encéphalique ? demandais-je, alarmé.

— C'est là que nous pratiquons certaines opérations très délicates sur le cerveau : greffes ; recherche et altération des centres nerveux ; ablation partielle et même totale.

— Et vous faites ces expériences sur des hommes !

— Bien entendu. Le cerveau de l'homme, comme toute son anatomie, est celui qui se rapproche le plus du nôtre. C'est une chance que la nature ait mis à notre disposition un animal sur lequel nous pouvons étudier notre propre corps. L'homme nous sert à bien d'autres recherches, que tu connaîtras peu à peu... En ce moment même, nous exécutons une série extrêmement importante.

— Et qui nécessite un matériel humain considérable.

— Considérable. Cela explique ces battues que nous

faisons faire dans la jungle pour nous réapprovisionner. Ce sont malheureusement des gorilles qui les organisent et nous ne pouvons les empêcher de se livrer à leur divertissement favori, qui est le tir au fusil. Un grand nombre de sujets sont ainsi perdus pour la science.

— Vraiment très regrettable, admis-je en pinçant les lèvres. Mais, pour en revenir à moi...

— Comprends-tu pourquoi j'ai tenu à garder le secret ?

— Suis-je donc condamné à passer le reste de ma vie dans une cage ?

— Non, si le plan que j'ai formé réussit. Mais il ne faut te démasquer qu'à bon escient et avec des atouts puissants. Voici ce que je te propose : dans un mois, se tiendra le congrès annuel des savants biologistes. C'est un événement considérable. Un large public y est admis et tous les représentants des grands journaux y assistent. Or, l'opinion publique est chez nous un élément plus puissant que Zaïus, plus puissant que tous les orangs-outans réunis, plus puissant même que les gorilles. Ce sera là ta chance. C'est devant ce congrès, en pleine séance, qu'il te faut lever le voile ; car tu seras présenté par Zaïus qui, je te l'ai dit, a préparé un long rapport sur toi et ton fameux instinct. Le mieux est alors que tu prennes la parole toi-même pour expliquer ton cas. La sensation créée sera telle que Zaïus ne pourra t'en empêcher. A toi de t'exprimer clairement devant l'assemblée et de convaincre la foule ainsi que les journalistes, comme tu m'as convaincue moi-même.

— Et si Zaïus et les orangs-outans s'entêtent ?

— Les gorilles, obligés de s'incliner devant l'opinion, feront entendre raison à ces imbéciles. Beaucoup sont tout de même un peu moins stupides que Zaïus ; et il y a aussi, parmi les savants, quelques rares chimpanzés que l'Académie a été obligée d'admettre à cause de leurs sensationnelles découvertes. L'un d'eux est Cornélius, mon fiancé. A lui, et à lui seul, j'ai parlé de toi. Il m'a promis de s'employer en ta faveur. Bien entendu, il veut te voir auparavant et vérifier par lui-même le récit incroyable que je lui ai fait. C'est un peu pour cela que je t'ai amené ici aujourd'hui. J'ai rendez-vous avec lui et il ne devrait plus tarder. »

Cornélius nous attendait près d'un massif de fougères géantes. C'était un chimpanzé de belle allure, certainement plus âgé que Zira, mais extrêmement jeune pour un savant académicien. Dès que je l'aperçus, je fus frappé par un regard profond, d'une intensité et d'une vivacité exceptionnelles.

« Comment le trouves-tu ? » me demanda Zira en français, à voix basse.

Je connus à cette question que j'avais définitivement capté la confiance de cette guenon. Je murmurai une appréciation élogieuse et nous nous approchâmes.

Les deux fiancés s'étreignirent à la façon des amoureux du parc. Il lui avait ouvert ses bras sans m'accorder un regard. Malgré ce qu'elle lui avait dit de moi, il était évident que ma présence ne comptait pas davantage pour lui que celle d'un animal familier. Zira, elle-même, m'oublia un instant et ils échangèrent de longs baisers sur le museau. Puis elle tressaillit, se détacha vivement de lui et le regarda de côté d'un air penaud.

« Chérie, nous sommes seuls.

— Je suis là, dis-je avec dignité, dans mon meilleur langage simien.

— Eh ! s'écria le chimpanzé en sursautant.

— Je dis : je suis là. Je me vois navré d'être obligé de vous le rappeler. Vos démonstrations ne me gênent pas, mais vous pourriez m'en vouloir par la suite.

— Par le diable !... » clama le savant chimpanzé. Zira prit le parti de rire et nous présenta.

« Le docteur Cornélius, de l'Académie, dit-elle, Ulysse Mérou, un habitant du système solaire, de la Terre, plus précisément.

— Je suis enchanté de faire votre connaissance, dis-je. Zira m'a parlé de vous. Je vous félicite d'avoir une fiancée aussi charmante. »

Et je lui tendis la main. Il fit un bond en arrière, comme si un serpent s'était dressé devant lui.

« C'était vrai ? murmura-t-il en regardant Zira d'un air égaré.

— Chéri, est-ce que j'ai l'habitude de te raconter des mensonges ? »

Il se ressaisit. C'était un homme de science. Après une hésitation, il me serra la main.

« Comment allez-vous ?

— Pas mal, dis-je. Encore une fois, je m'excuse d'être présenté dans cette tenue.

— Il ne pense qu'à cela, fit Zira en riant. C'est un complexe chez lui. Il ne se rend pas compte de l'effet qu'il produirait s'il était habillé.

— Et vous venez vraiment de... de... ?

— De la Terre, une planète du Soleil. »

Il n'avait certainement accordé que peu de crédit, jusqu'ici, aux confidences de Zira, préférant croire à quelque mystification. Il commença à me harceler de questions. Nous nous promenions à petits pas, eux marchant devant, bras dessus, bras dessous, moi, suivant au bout de ma chaîne, pour ne pas attirer l'attention des quelques passants qui nous croisaient. Mais mes réponses excitaient sa curiosité à un degré tel qu'il s'arrêtait souvent, lâchait sa fiancée et nous nous mettions à discuter face à face avec de grands gestes, traçant des figures sur le sable de l'allée. Zira ne se fâchait pas. Elle paraissait au contraire enchantée de l'impression produite.

Cornélius se passionnait particulièrement, bien entendu, pour l'émergence de l'*Homo sapiens* sur la Terre et il me fit répéter cent fois tout ce que je savais à ce sujet. Ensuite, il resta longtemps songeur. Il me dit que mes révélations constituaient sans doute un document d'une importance capitale pour la science et en particulier pour lui, à une époque où il entreprenait des recherches extrêmement ardues sur le phénomène simien. D'après ce que je compris, celui-ci n'était pas pour lui un problème résolu et il n'était pas d'accord sur les théories généralement admises. Mais il devint réticent à ce sujet et ne me dévoila pas toute sa pensée lors de cette première rencontre.

Quoi qu'il en fût, je présentais à ses yeux un intérêt capital et il aurait donné sa fortune pour m'avoir dans son laboratoire. Nous parlâmes alors de ma situation actuelle et de Zaïus, dont il connaissait la stupidité et l'aveuglement. Il approuva le plan de Zira. Il allait, lui-même, s'occuper de préparer le terrain par des allusions au mystère de mon cas, en présence de quelques-uns de ses confrères.

Quand il nous quitta, il me tendit la main sans hésitation, après avoir vérifié que l'allée était déserte. Puis il embrassa sa fiancée et s'éloigna, non sans se retourner à plusieurs reprises, pour se convaincre que je n'étais pas une hallucination.

« Un charmant jeune singe, dis-je, comme nous revenions vers la voiture.

— Et un très grand savant. Avec son appui, je suis sûre que tu persuaderas le congrès.

— Zira, murmurais-je à son oreille, quand je fus installé sur la banquette arrière, je te devrai la liberté et la vie. »

Je me rendais compte de tout ce qu'elle avait fait pour moi depuis ma capture. Sans elle, je n'aurais jamais pu entrer en contact avec le monde simien. Zaïus eût été bien capable de me faire enlever le cerveau pour démontrer que je n'étais pas un être raisonnable. Grâce à elle, j'avais maintenant des alliés et pouvais envisager l'avenir avec un peu plus d'optimisme.

« Je l'ai fait par amour pour la science, dit-elle en rougissant. Tu es un cas unique, qu'il faut préserver à tout prix. »

Mon cœur débordait de reconnaissance. Je me laissais prendre à la spiritualité de son regard, parvenant à faire abstraction de son physique. Je posai la main sur sa longue patte velue. Elle tressaillit et je sentis dans ce regard un grand élan de sympathie pour moi. Nous

étions tous deux profondément troublés et nous restâmes silencieux pendant tout le trajet du retour.
Quand elle m'eut ramené à ma cage, je repoussai brutalement Nova, qui se livrait à des démonstrations pué-
riles pour m'accueillir.

CHAPITRE V

Zira m'a prêté en cachette une lampe électrique et me
passe des livres, que je dissimule sous la paille. Je lis et
je parle couramment maintenant le langage des singes.
Je passe plusieurs heures chaque nuit à étudier leur
civilisation. Nova a d'abord protesté. Elle est venue flai-
rer un livre en montrant les dents, comme si c'était un
adversaire dangereux. Je n'ai eu qu'à braquer sur elle le
faisceau de ma lampe pour la voir se réfugier dans un
coin, tremblante et gémissante. Je suis le maître absolu
chez moi depuis que je possède cet instrument et n'ai
plus besoin d'arguments frappants pour la faire tenir
tranquille. Je sens qu'elle me considère comme un être
redoutable et je m'aperçois à beaucoup d'indices que
les autres prisonniers me jugent ainsi. Mon prestige a
considérablement augmenté. J'en abuse. Il me prend
parfois fantaisie de la terroriser sans motif en brandissant la lumière. Elle vient ensuite me demander pardon
de ma cruauté.

Je me flatte d'avoir maintenant une idée assez précise
du monde simien.

Les singes ne sont pas divisés en nations. La planète
entière est administrée par un conseil de ministres, à la
tête duquel est placé le triumvirat comprenant un
gorille, un orang-outan, un chimpanzé. A côté de ce gou-
vernement, il existe un Parlement composé de trois
Chambres : la Chambre des gorilles, celle des orangs-

outans, celle des chimpanzés, chacune de ces assemblées veillant aux intérêts des siens.

En fait, cette division en trois races est la seule qui subsiste chez eux. En principe, tous ont des droits égaux et peuvent être admis à n'importe quel poste. Pourtant, avec des exceptions, chaque espèce se cantonne dans sa spécialité.

D'une époque assez éloignée où ils régnaient par la force, les gorilles ont gardé le goût de l'autorité et forment encore la classe la plus puissante. Ils ne se mêlent pas à la foule ; on ne les voit guère dans les manifestations populaires, mais ce sont eux qui administrent de très haut la plupart des grandes entreprises. Assez ignorants en général, ils connaissent d'instinct la manière d'utiliser les connaissances. Ils excellent dans l'art de tracer des directives générales et de manœuvrer les autres singes. Quand un technicien a fait une découverte intéressante, tube lumineux par exemple ou combustible nouveau, c'est presque toujours un gorille qui se charge de l'exploiter et d'en tirer tout le bénéfice possible. Sans être véritablement intelligents, ils sont beaucoup plus malins que les orangs-outans. Ils obtiennent tout ce qu'ils veulent de ceux-ci en jouant de leur orgueil. Ainsi, à la tête de notre Institut, au-dessus de Zaïus, qui est le directeur scientifique, il y a un gorille administrateur, que l'on voit très rarement. Il n'est venu dans ma salle qu'une seule fois. Il m'a dévisagé d'une certaine façon et j'ai failli machinalement rectifier la position pour me mettre au garde-à-vous. J'ai noté l'attitude servile de Zaïus, et Zira, elle-même, semblait impressionnée par ses grands airs.

Les gorilles qui n'occupent pas des postes d'autorité remplissent en général des emplois subalternes nécessitant de la vigueur. Zoram et Zanam, par exemple, ne sont là que pour de grossières besognes et surtout pour rétablir l'ordre quand c'est nécessaire.

Ou alors, les gorilles sont des chasseurs. C'est une fonction qui leur est à peu près réservée. Ils capturent les bêtes sauvages et, en particulier, les hommes. J'ai déjà souligné l'énorme consommation d'hommes que nécessitent les expériences des singes. Celles-ci tiennent dans leur monde une place qui me déconcerte, à mesure que j'en découvre l'importance. Il me semble qu'une partie de la population simienne soit occupée à des études biologiques ; mais je reviendrai sur cette bizarrerie. Quoi qu'il en soit, le ravitaillement en matériel humain demande des entreprises organisées. Tout un peuple de chasseurs, rabatteurs, transporteurs, vendeurs est employé dans cette industrie, à la tête de laquelle on trouve toujours des gorilles. Je crois que ces entreprises sont prospères, car les hommes se vendent cher.

A côté des gorilles, j'allais dire en dessous, quoique toute hiérarchie soit contestée, il y a les orangs-outans et les chimpanzés. Les premiers, de beaucoup les moins nombreux, Zira me les avait définis d'une formule brève : ils sont la science officielle.

C'est en partie vrai, mais certains se poussent parfois dans la politique, les arts et la littérature. Ils apportent les mêmes caractères dans toutes ces activités. Pompeux, solennels, pédants, dépourvus d'originalité et de sens critique, acharnés à maintenir la tradition, aveugles et sourds à toute nouveauté, adorant les clichés et les formules toutes faites, ils forment le substrat de toutes les académies. Doués d'une grande mémoire, ils apprennent énormément de matières par cœur, dans les livres. Ensuite, ils écrivent eux-mêmes d'autres livres, où ils répètent ce qu'ils ont lu, ce qui leur attire de la considération de la part de leurs frères les orangs-outans. Peut-être suis-je un peu influencé à leur égard par l'opinion de Zira et de son fiancé, qui les détestent, comme font tous les chimpanzés. Ils sont d'ailleurs également méprisés par les gorilles, qui se moquent de leur servilité mais qui l'exploitent au bénéfice de leurs propres combinaisons. Presque tous les orangs-outans ont derrière eux un gorille ou un conseil de gorilles, qui les poussent et les maintiennent à un poste honorifique, s'occupant de leur faire obtenir des décorations dont ils raffolent ; cela, jusqu'au jour où ils cessent de donner satisfaction. Dans ce cas, ils sont impitoyablement congédiés et remplacés par d'autres singes de la même espèce.

Restent les chimpanzés. Ceux-ci semblent bien représenter l'élément intellectuel de la planète. Ce n'est pas par forfanterie que Zira soutient que toutes les grandes découvertes on été faites par eux. C'est tout au plus une généralisation un peu poussée, car il y a quelques exceptions. En tout cas, ils écrivent la plupart des livres intéressants, dans les domaines les plus divers. Ils paraissent animés par un puissant esprit de recherche.

J'ai mentionné la sorte d'ouvrages que composent les orangs-outans. Le malheur, Zira le déplore souvent, c'est qu'ils fabriquent ainsi tous les livres d'enseignements, propageant des erreurs grossières dans la jeunesse simienne. Il n'y a pas longtemps, m'a-t-elle assuré, ces textes scolaires affirmaient encore que la planète Soror était le centre du monde, quoique cette hérésie eût été reconnue depuis longtemps par tous les singes de moyenne intelligence ; cela, parce qu'il a existé sur Soror, il y a des milliers d'années, un singe nommé Haristas dont l'autorité était considérable, qui soutenait de pareilles propositions et dont les orangs-outans répètent les dogmes depuis lors. Je comprends mieux l'attitude de Zaïus à mon égard, ayant appris que ce Haristas professait que seuls les singes peuvent avoir une âme. Les chimpanzés, heureusement, ont un esprit beaucoup plus critique. Depuis quelques années, ils semblent même mettre un acharnement singulier à battre en brèche les axiomes de la vieille idole.

Les gorilles, eux, écrivent peu de livres. Quand ils le font, il faut en louer la présentation, sinon le fond. J'en ai parcouru quelques-uns dont je me rappelle les titres : *Nécessité d'une organisation solide à la base de la recherche*, *Les Bienfaits d'une politique sociale*, et encore *L'Organisation des grandes battues à l'homme dans le continent vert*. Ce sont toujours des ouvrages bien documentés, chaque chapitre étant composé par un technicien spécialisé. Il y a des diagrammes, des tableaux, des chiffres et souvent des photographies attrayantes.

L'unification de la planète, l'absence de guerre et de dépenses militaires — il n'y a pas d'armée mais seulement une police — m'apparaissent comme autant de facteurs propres à favoriser des progrès rapides, dans tous les domaines, chez les singes. Cela n'est pas le cas. Quoique Soror soit probablement un peu plus ancienne que la Terre, il est clair qu'ils sont en retard sur nous pour beaucoup de points.

Ils ont l'électricité, des industries, des automobiles, des avions ; mais en ce qui concerne la conquête de l'espace, ils en sont seulement au stade des satellites artificiels. En science pure, je crois que leur connaissance de l'infiniment grand et de l'infiniment petit est inférieure à la nôtre. Ce retard est peut-être dû au jeu d'un simple hasard et je ne doute pas qu'ils ne nous rattrapent un jour, quand je considère l'application dont ils sont capables et l'esprit de recherche dont font preuve les chimpanzés. En vérité, il me semble qu'ils sont passés par une période obscure de stagnation, qui a duré très longtemps, plus longtemps que chez nous et qu'ils sont entrés depuis peu d'années dans une ère de réalisations considérables.

Cet esprit de recherche, il me faut encore souligner qu'il est principalement axé dans une autre direction : les sciences biologiques et en particulier l'étude du singe, l'homme étant l'instrument dont ils se servent pour ce but. Celui-ci joue donc un rôle essentiel, quoique assez humiliant, dans leur existence. Il est heureux pour eux qu'il y ait un nombre considérable d'hommes sur leur planète. J'ai lu une étude prouvant qu'il y a plus d'hommes que de singes. Mais le nombre de ceux-ci va en augmentant, tandis que la population humaine diminue et, déjà, certains savants sont inquiets pour le futur ravitaillement de leurs laboratoires.

Tout cela n'éclaircit pas le secret de la poussée

simienne à la pointe de l'évolution. Peut-être n'y a-t-il là, d'ailleurs, aucun mystère. Leur émergence est sans doute aussi naturelle que la nôtre. Je lutte pourtant contre cette idée, qui me paraît inacceptable et je sais maintenant que certains savants de chez eux considèrent aussi que le phénomène de l'ascension simienne est loin d'être éclairci. Cornélius fait partie de cette école et je crois qu'il est suivi par les esprits les plus subtils. Ignorant d'où ils viennent, qui ils sont et où ils vont, peut-être souffrent-ils de cette obscurité. Serait-ce ce sentiment qui leur insuffle une sorte de frénésie dans la recherche biologique et qui donne une orientation si particulière à leurs activités scientifiques ? Ma cogitation de la nuit se conclut sur ces questions.

CHAPITRE VI

Zira m'emmenait assez souvent promener dans le parc. Nous y rencontrions parfois Cornélius et nous préparions ensemble le discours que je devais prononcer devant le congrès. La date en était proche, ce qui me rendait nerveux. Zira m'assurait que tout se passerait bien. Cornélius avait hâte que ma condition fût reconnue et qu'on me rendît la liberté, pour pouvoir m'étudier à fond... collaborer avec moi, corrigeait-il, devant le mouvement d'impatience qui m'échappait lorsqu'il parlait ainsi.

Ce jour-là, son fiancé étant absent, Zira me proposa d'aller voir le jardin zoologique attenant au parc. J'aurais bien voulu assister à un spectacle ou visiter un musée, mais ces distractions m'étaient encore interdites. Dans les livres seulement, j'avais pu acquérir quelques notions des arts simiens. J'avais admiré des reproductions de tableaux classiques, portraits de singes célèbres, scènes champêtres, nus de guenons lascives autour desquelles voletait un petit singe ailé représentant l'Amour, peintures militaires datant de l'époque où il y avait encore des guerres, figurant de terribles gorilles revêtus d'uniformes chamarrés. Les singes avaient eu aussi leurs impressionnistes et quelques contemporains se haussaient à l'art abstrait. Tout cela, je l'avais découvert dans ma cage, à la lueur de ma lampe. Je ne pouvais décemment assister qu'à des spectacles en plein air. Zira m'avait emmené voir un jeu ressemblant à notre football, une rencontre de boxe, qui m'avait fait frémir, entre deux gorilles, et une réunion d'athlétisme, où des chimpanzés aériens s'enlevaient au moyen d'une perche à une hauteur prodigieuse.

J'acceptai d'aller visiter le Zoo. Tout d'abord, je n'éprouvai aucune surprise. Les bêtes présentaient beaucoup d'analogies avec celles de la Terre. Il y avait des félins, des pachydermes, des ruminants, des reptiles et des oiseaux. Si je remarquai une espèce de chameau à trois bosses et un sanglier qui portait des cornes comme un chevreuil, cela ne pouvait en aucune façon m'émerveiller, après ce que j'avais vu sur la planète Soror.

Mon étonnement commença avec le quartier des hommes. Zira tenta de me dissuader d'en approcher, regrettant, je crois, de m'avoir amené là, mais ma curiosité était forte et je tirai sur ma laisse jusqu'à ce qu'elle cédât.

La première cage devant laquelle nous nous arrêtâmes contenait au moins une cinquantaine d'individus, hommes, femmes, enfants, exhibés là pour la plus grande joie des badauds singes. Ils faisaient preuve d'une activité fébrile et désordonnée, gambadant, se bousculant, se donnant en spectacle, se livrant à mille facéties.

C'était bien un spectacle. Il s'agissait pour eux de s'attirer les bonnes grâces des petits singes qui entouraient la cage, leur jetant de temps en temps des fruits ou des morceaux de gâteaux qu'une vieille guenon vendait à l'entrée du jardin. C'était à celui des hommes, adultes aussi bien qu'enfants, qui réussirait le meilleur tour — escalade des grilles, marche à quatre pattes, marche sur les mains — pour obtenir la récompense et, quand celle-ci tombait au milieu d'un groupe, il y avait des bourrades, des coups d'ongles et des cheveux arrachés ; le tout ponctué de cris aigus d'animaux en colère.

Certains hommes, plus rassis, ne participaient pas au

tumulte. Ils se tenaient à l'écart, près des grilles et, quand ils voyaient un bambin singe plonger les doigts dans un sac, ils tendaient vers lui une main implorante. Celui-ci, s'il était jeune, reculait souvent, effrayé ; mais ses parents ou ses amis plus âgés se moquaient de lui, jusqu'à ce qu'il se décidât en tremblant à donner la récompense de la main à la main.

L'apparition d'un homme hors de la cage provoqua quelque étonnement, aussi bien parmi les prisonniers que dans l'assistance simienne. Les premiers interrompirent un moment leurs gambades pour m'examiner avec suspicion, mais comme je me tenais coi, refusant avec dignité les aumônes que les gamins faisaient mine de me tendre, les uns et les autres se désintéressèrent de moi et je pus observer tout à mon aise. La veulerie de ces créatures m'écœurait et je me sentais rougir de honte en constatant une fois de plus combien elles me ressemblaient physiquement.

Les autres cages offraient les mêmes exhibitions dégradantes. J'allais me laisser entraîner par Zira, la mort dans l'âme, quand, soudain, j'étouffai à grand-peine un cri de surprise. Là, devant moi, parmi le troupeau, c'était bien lui, mon compagnon de voyage, le chef et l'âme de notre expédition, le fameux professeur Antelle. Il avait été capturé comme moi et, moins heureux probablement, vendu au Zoo.

Ma joie de le savoir vivant et de le retrouver fut telle que des larmes me montèrent aux yeux ; puis je frémis devant la condition à laquelle ce grand savant était réduit. Mon émotion se transforma peu à peu en une stupeur douloureuse quand je m'aperçus que son comportement était exactement le même que celui des autres hommes. J'étais bien obligé de croire le témoignage de mes yeux, malgré l'invraisemblance de cette conduite. Il faisait partie, lui, de ces sages qui ne se mêlaient pas aux bagarres mais tendaient la main à travers les barreaux, avec une grimace de mendiant. Je l'observai alors qu'il était en train d'agir et rien dans son attitude ne laissait percevoir sa véritable nature. Un

116

petit singe lui donna un fruit. Le savant le prit, s'assit, les jambes croisées, et commença à le dévorer gloutonnement, regardant son bienfaiteur d'un œil avide, comme s'il en espérait un autre geste généreux. Je pleurai de nouveau à cette vue. A voix basse, j'expliquai à Zira les motifs de mon trouble. J'aurais voulu m'approcher et lui parler, mais elle m'en dissuada avec énergie. Je ne pouvais rien faire pour lui actuellement, et dans l'émotion de nous retrouver, nous risquions de causer un scandale préjudiciable à nos intérêts communs, qui pourrait fort bien ruiner mes propres plans.

« Après le congrès, me dit-elle, quand tu auras été reconnu et accepté comme un être raisonnable, nous nous occuperons de lui. »

Elle avait raison et je me laissai entraîner à regret. Tandis que nous regagnions la voiture, je lui expliquai qui était le professeur Antelle et la réputation qu'il avait sur la Terre et dans le monde savant. Elle resta longtemps songeuse et me promit de s'employer à le tirer du Zoo. Elle me ramena un peu réconforté à l'Institut ; mais ce soir-là, je refusai la nourriture que m'apportaient les gorilles.

CHAPITRE VII

La semaine qui précéda le congrès, Zaïus me fit de nombreuses visites, multipliant les tests saugrenus ; sa secrétaire emplit plusieurs cahiers d'observations et de conclusions me concernant. Je m'appliquai hypocritement à ne pas paraître plus malin qu'il ne le désirait.

La date tant attendue arriva enfin, mais ce fut seulement le troisième jour du congrès qu'on vint me chercher, les singes s'affrontant d'abord en des débats théoriques. J'étais tenu au courant de leurs travaux par Zira. Zaïus avait déjà lu un long rapport à mon sujet, me présentant comme un homme aux instincts particulièrement aiguisés, mais concluant à une absence totale de conscience. Cornélius lui posa quelques questions perfides, pour savoir comment il expliquait dans ce cas certains traits de ma conduite. Ceci ranima de vieilles querelles et la dernière discussion avait été assez houleuse.

Les savants étaient partagés en deux clans, ceux qui refusaient toute espèce d'âme à un animal et ceux qui voyaient seulement une différence de degré entre le psychisme des bêtes et celui des singes. Bien entendu, personne ne soupçonnait la vérité totale, sauf Cornélius et Zira. Cependant, le rapport de Zaïus relatait des traits si surprenants que, sans même que cet imbécile s'en doutât, il troublait certains observateurs impartiaux, sinon les savants décorés, et le bruit commençait à courir dans la ville qu'un homme tout à fait extraordinaire avait été découvert.

Zira me murmura à l'oreille, en me faisant sortir de ma cage :

« Il y aura la foule des grands jours et la totalité de la presse. Tous sont alertés et pressentent un événement insolite. C'est excellent pour toi. Courage ! »

J'avais besoin de son appui moral. Je me sentais terriblement nerveux. J'avais repassé mon discours tout la nuit. Je le savais par cœur et il devait convaincre les plus bornés ; mais j'étais hanté par la terreur qu'on ne me laissât pas parler.

Les gorilles m'entraînèrent vers un camion grillagé, où je me trouvai en compagnie de quelques autres sujets humains, jugés dignes, eux aussi, d'être présentés à la docte assemblée, à cause de quelque particularité. Nous arrivâmes devant une énorme bâtisse, surmontée d'une coupole. Nos gardiens nous firent entrer dans un hall garni de cages, attenant à la salle de réunion. C'est là que nous attendîmes le bon plaisir des savants. De temps en temps, un gorille majestueux, revêtu d'une sorte d'uniforme noir, poussait la porte et venait crier un numéro. Alors les gardiens passaient une laisse à l'un des hommes et l'entraînaient. Mon cœur battait à chaque apparition de l'huissier. Par la porte entrebâillée, un brouhaha parvenait de la salle, parfois des exclamations et aussi des applaudissements.

Les sujets étant emmenés immédiatement après leur présentation, je finis par me trouver seul dans le hall, avec les gardiens, ressassant fébrilement les principales périodes de mon discours. On m'avait gardé pour la fin, comme une vedette. Le gorille noir surgit une dernière fois et appela mon numéro. Je me levai spontanément, pris des mains d'un singe éberlué la laisse qu'il s'apprêtait à fixer sur mon collier et l'assujettis moi-même. Ainsi, encadré de deux gardes du corps, je pénétrai d'un pas ferme dans la salle de réunion. Dès que je fus entré, je m'arrêtai, ébloui et décontenancé.

J'avais déjà vu bien des spectacles étranges depuis mon arrivée sur la planète Soror. J'estimais être accoutumé à la présence des singes et à leurs manifestations au point de ne plus pouvoir en être étonné. Pourtant devant la singularité et les proportions de la scène qui s'offrait à mon regard, je fus saisi de vertige et me demandai une fois de plus si je ne rêvais pas.

J'étais au fond d'un gigantesque amphithéâtre (qui me fit bizzarrement penser à l'enfer conique de Dante) dont tous les gradins, autour et au-dessus de moi, étaient couverts de singes. Il y en avait là plusieurs milliers. Jamais je n'avais vu autant de singes assemblés ; leur multitude trandescendait les rêves les plus fous de ma pauvre imagination terrestre ; leur nombre m'accablait.

Je chancelai et tentai de me ressaisir en cherchant des repères dans cette foule. Les gardiens me poussaient vers le centre du cercle, qui ressemblait à une piste de cirque, où une estrade était installée. Je fis lentement un tour sur moi-même. Des rangées de singes s'élevaient jusqu'au plafond, à une hauteur prodigieuse. Les places les plus proches de moi étaient occupées par les membres du congrès, tous savants chevronnés, revêtus de pantalons rayés et de redingotes sombres, tous décorés, presque tous d'un âge vénérable et presque tous des orangs-outans. Je distinguai cependant dans leur groupe un petit nombre de gorilles et de chimpanzés. Je cherchai Cornélius parmi ceux-ci, mais ne le découvris pas.

Au-delà des autorités, derrière une balustrade, plusieurs rangs étaient réservés aux collaborateurs subalternes des savants. Une tribune était aménagée à ce même niveau pour les journalistes et les photographes. Enfin, plus haut encore, derrière une autre barrière, se pressait la foule, un public simien qui me parut fort surexcité, d'après la densité des murmures qui saluèrent mon apparition.

Je cherchai également à découvrir Zira, qui devait se trouver parmi les assistants. Je sentais le besoin d'être soutenu par son regard. Là encore je fus déçu et ne pus découvrir un singe familier parmi l'infernale légion de singes qui m'entourait.

Je reportai mon attention sur les pontifes. Chacun d'eux était assis dans un fauteuil drapé de rouge, alors que les autres n'avaient droit qu'à des chaises ou des bancs. Leur aspect rappelait beaucoup celui de Zaïus. La tête basse, presque au niveau des épaules, un bras démesuré à demi plié et posé devant eux sur un sous-main, ils griffonnaient parfois quelques notes, à moins que ce ne fût un dessin puéril. Par contraste avec la surexcitation qui régnait sur les bancs supérieurs, ils me parurent avachis. J'eus l'impression que mon entrée et l'annonce qui en était faite par un haut-parleur arrivaient juste à point pour réveiller leur attention chancelante. En fait, je me rappelle fort bien avoir vu trois de ces orangs-outans sursauter et relever brusquement le col, comme s'ils étaient arrachés à un sommeil profond.

Cependant, ils étaient maintenant tous bien éveillés. Ma présentation devait être le clou de la réunion et je me sentais la cible de milliers de paires d'yeux simiens, aux expressions diverses, allant de l'indifférence à l'enthousiasme.

Mes gardes me firent monter sur l'estrade, où siégeait un gorille de belle allure. Zira m'avait expliqué que le congrès était présidé, non par un savant comme c'était le cas autrefois — alors, les singes de science, livrés à eux-mêmes, se perdaient dans des discussions sans fin, n'aboutissant jamais à une conclusion — mais par un organisateur. A la gauche de cet imposant personnage se tenait son secrétaire, un chimpanzé, qui notait le compte rendu de la séance. A sa droite, prenaient place successivement les savants dont c'était le tour d'exposer la thèse ou de présenter un sujet. Zaïus venait d'occuper ce siège, salué par de maigres applaudissements. Grâce à un système de haut-parleurs conjugués avec des projecteurs puissants, rien de ce qui se passait sur l'estrade n'était perdu sur les plus hauts gradins.

Le président gorille agita sa sonnette, obtint le silence et déclara qu'il donnait la parole à l'illustre Zaïus, pour la présentation de l'homme dont il avait déjà entretenu l'assemblée. L'orang-outan se leva, salua et commença à discourir. Pendant ce temps, je m'efforçais de prendre une attitude aussi compréhensive que possible. Quand il parla de moi, je m'inclinai en portant la main à mon cœur, ce qui souleva un début d'hilarité, vite réprimé par la sonnette. Je compris rapidement que je ne servais pas ma cause en me livrant à ces facéties, qui pouvaient être interprétés comme le simple résultat d'un bon dressage. Je me tins coi, attendant la fin de son exposé.

Il rappela les conclusions de son rapport et annonça les prouesses qu'il allait me faire exécuter, ayant fait préparer sur l'estrade les accessoires de ses maudites expériences. Il conclut en déclarant que j'étais aussi capable de répéter quelques mots, comme certains oiseaux, et qu'il espérait pouvoir me fair exécuter cette performance devant l'assemblée. Ensuite, il se tourna vers moi, prit la boîte à fermetures multiples et me la présenta. Mais au lieu de faire jouer les serrures, je me livrai à un autre genre d'exercices.

Mon heure était venue. Je levai la main, puis tirant doucement sur la laisse que tenait le garde, je m'approchai d'un micro et m'adressai au président.

« Très illustre président, dis-je en mon meilleur langage simien, c'est avec le plus grand plaisir que j'ouvrirai cette boîte ; c'est très volontiers aussi que j'exécuterai tous les tours du programme. Cependant, avant de me livrer à cette tâche, un peu facile pour moi, je sollicite l'autorisation de faire une déclaration qui, je le jure, étonnera cette savante assemblée. »

J'avais articulé très distinctement et chacune de mes paroles porta. Le résultat fut celui que j'escomptais. Tous les singes restèrent comme écrasés sur leur siège, abasourdis, retenant leur respiration. Les journalistes en oublièrent même de prendre des notes et aucun photographe n'eut assez de présence d'esprit pour prendre un cliché de cet instant historique.

Le président me regardait stupidement. Quant à Zaïus, il paraissait enragé.

« Monsieur le président, hurla-t-il, je proteste... »

Mais il s'arrêta court, submergé par le ridicule d'une discussion avec un homme. J'en profitai pour reprendre la parole.

« Monsieur le président, j'insiste avec le plus profond respect, mais avec énergie, pour que cette faveur me soit accordée. Quand je me serai expliqué, alors, je le jure sur mon honneur, je me plierai aux exigences du très illustre Zaïus. »

Un ouragan, succédant au silence, secoua l'assemblée. Une tempête de folie passait sur les gradins, transformant tous les singes en une masse hystérique où se mêlaient les exclamations, les rires, les pleurs et les hourras ; cela, au milieu d'un crépitement continu de magnésium, les photographes ayant enfin recouvré l'usage de leurs membres. Le tumulte dura cinq bonnes minutes, pendant lesquelles le président, qui avait retrouvé un peu de sang-froid, ne cessa de me dévisager. Il prit enfin un parti et agita sa sonnette.

« Je..., commença-t-il en bégayant, je ne sais pas trop comment vous appeler.

— Monsieur, tout simplement, dis-je.

— Oui, eh bien, mon... monsieur, je pense qu'en présence d'un cas aussi exceptionnel, le congrès scientifique que j'ai l'honneur de présider se doit d'écouter votre déclaration. »

Une nouvelle vague d'applaudissements salua la sagesse de cette décision. Je n'en demandais pas plus. Je me plantai très droit au milieu de l'estrade, fixai le micro à ma hauteur et prononçai le discours suivant.

CHAPITRE VIII

« Illustre président,
« Nobles gorilles,
« Sages orangs-outans,
« Subtils chimpanzés,
« O singes !
« Permettez à un homme de s'adresser à vous.
« Je sais que mon apparence est grotesque, ma forme repoussante, mon profil bestial, mon odeur infecte, la couleur de ma peau répugnante. Je sais que la vue de ce corps ridicule est une offense pour vous, mais je sais aussi que je m'adresse aux plus savants et aux plus sages de tous les singes, ceux dont l'esprit est capable de s'élever au-dessus des impressions sensibles et de percevoir l'essence subtile de l'être par-delà une pitoyable enveloppe matérielle... »

L'humilité pompeuse de ce début m'avait été imposée par Zira et Cornélius, qui la savaient propre à toucher les orangs-outans. Je continuai dans un silence profond.

« Entendez-moi, ô singes ! car je parle ; et non pas, je vous l'assure, comme une mécanique ou un perroquet. Je pense, et je parle, et je comprends aussi bien ce que vous dites que ce que j'énonce moi-même. Tout à l'heure, si vos Seigneuries daignent m'interroger, je me ferai un plaisir de répondre de mon mieux à leurs questions.

« Auparavant, je veux vous révéler cette vérité stupéfiante : non seulement, je suis une créature pensante, non seulement une âme habite paradoxalement ce corps humain, mais je viens d'une planète lointaine, de la Terre, de cette Terre où, par une fantaisie encore inexplicable de la nature, ce sont les hommes qui détiennent la sagesse et la raison. Je demande la permission de préciser le lieu de mon origine, non certes pour les illustres docteurs que je vois autour de moi, mais pour quelques-uns de mes auditeurs qui, peut-être, ne sont pas familiarisés avec les divers systèmes stellaires. »

Je m'approchai d'un tableau noir, et m'aidant de quelques schémas, je décrivis de mon mieux le système solaire et fixai sa position dans la galaxie. Mon exposé fut encore écouté dans un silence religieux. Mais quand, mes croquis terminés, je frappai plusieurs fois mes mains l'une contre l'autre pour en faire tomber la poussière de craie, ce simple geste suscita un bruyant enthousiasme dans la foule des hauts gradins. Je continuai, face au public :

« Donc, sur cette Terre, c'est dans la race humaine que l'esprit s'incarna. C'est ainsi et je n'y peux rien. Tandis que les singes — j'en suis bouleversé depuis que j'ai découvert votre monde — tandis que les singes sont restés à l'état sauvage, ce sont les hommes qui ont évolué. C'est dans le crâne des hommes que le cerveau s'est développé et organisé. Ce sont les hommes qui ont inventé le langage, découvert le feu, utilisé des outils. Ce sont eux qui aménagèrent ma planète et en transformèrent le visage, eux enfin qui ont établi une civilisation si raffinée que, par bien des points, ô singes ! elle rappelle la vôtre. »

Là, je m'appliquai à donner de multiples exemples de nos plus belles réalisations. Je décrivis nos cités, nos industries, nos moyens de communication, nos gouvernements, nos lois, nos distractions. Puis je m'adressai plus particulièrement aux savants et tentai de donner une idée de nos conquêtes dans les domaines nobles des sciences et des arts. Ma voix s'affermissait à mesure que je parlais. Je commençais à ressentir une sorte de griserie, comme un propriétaire faisant l'inventaire de ses richesses.

J'en vins ensuite au récit de mes propres aventures. J'expliquai la façon dont j'étais parvenu jusqu'au monde de Bételgeuse et sur la planète Soror, comment j'avais été capturé, encagé, comment j'essayai d'entrer en contact avec Zaïus et comment, par la suite de mon manque d'ingéniosité sans doute, tous mes efforts avaient été vains. Je mentionnai enfin la perspicacité de Zira, son aide précieuse et celle du docteur Cornélius. Je conclus ainsi :

« Voilà ce que j'avais à vous dire, ô singes ! A vous de décider maintenant si je dois être traité comme un animal et terminer mes jours dans une cage, après d'aussi exceptionnelles aventures. Il me reste à ajouter que je suis venu vers vous sans aucune intention hostile, animé seulement par l'esprit de découverte. Depuis que j'ai appris à vous connaître, vous m'êtes extraordinairement sympathiques et je vous admire de toute mon âme. Voici donc le plan que je suggère aux grands esprits de cette planète. Je puis certainement vous être utile par mes connaissances terrestres ; de mon côté, j'ai appris plus de choses en quelques mois de cage chez vous que dans mon existence antérieure. Unissons nos efforts ! Établissons des contacts avec la Terre ! Marchons, singes et hommes, la main dans la main et aucune puissance, aucun secret du cosmos ne pourront nous résister ! »

Je m'arrêtai, épuisé, dans un silence absolu. Je me retournai machinalement vers la table du président, saisis un verre d'eau qui s'y trouvait et le vidai d'un trait. Comme le fait de me frotter les mains, ce simple geste produisit un effet énorme et donna le signal du tumulte. La salle se déchaîna d'un seul coup, dans un enthousiasme qu'aucune plume ne saurait décrire. Je savais que j'avais gagné mon auditoire, mais je n'aurais pas cru possible qu'aucune assemblée au monde pût exploser avec un tel bruit. J'en restai abasourdi, avec tout juste assez de sang-froid pour observer une des raisons de ce fantastique vacarme : les singes, naturellement exubérants, applaudissent de leurs quatre mains, quand un spectacle leur plaît. J'avais ainsi autour de moi un tourbillon de créatures endiablées, en équilibre sur leurs fesses et battant des quatre membres avec frénésie, à croire que la coupole allait s'écrouler ; cela au milieu de hurlements, où dominait la voix basse des gorilles. Ce fut une de mes dernières visions de cette séance mémorable. Je me sentis chanceler. Je regardai avec inquiétude autour de moi. Zaïus venait de quitter son siège d'un mouvement rageur pour se promener sur l'estrade, les mains derrière le dos, comme il le faisait devant ma cage. J'aperçus, comme dans un rêve, son fauteuil vide et m'y laissai tomber. Un nouveau torrent d'acclamations, que j'eus le temps de percevoir avant de m'évanouir, salua cette attitude.

CHAPITRE IX

Je ne repris connaissance que beaucoup plus tard, tant la tension de cette séance m'avait éprouvé. Je me trouvais dans une chambre, étendu sur un lit. Zira et Cornélius me donnaient des soins, pendant que des gorilles en uniforme tenaient à l'écart un groupe de journalistes et de curieux, qui tentaient de s'approcher de moi.

« Magnifique ! murmura Zira à mon oreille. Tu as gagné.

— Ulysse, me dit Cornélius, nous allons faire ensemble de grandes choses. »

Il m'apprit que le Grand Conseil de Soror venait de tenir une séance extraordinaire et de décider ma libération immédiate.

« Il y a eu quelques opposants, ajouta-t-il, mais l'opinion publique l'exigeait et ils ne pouvaient faire autrement. »

Ayant lui-même demandé et obtenu de me prendre comme collaborateur, il se frottait les mains à la pensée de l'aide que je lui apporterais dans ses recherches.

« C'est ici que vous habiterez. J'espère que cet appartement vous conviendra. Il est situé tout près du mien, dans une aile de l'Institut réservée au personnel supérieur. »

Je jetai un coup d'œil effaré autour de moi, croyant rêver. La chambre était pourvue de tout le confort ;

c'était le début d'une ère nouvelle. Après avoir tant souhaité cet instant, je me sentis soudain envahi par un bizarre sentiment de nostalgie. Mon regard rencontre celui de Zira et je compris que la fine guenon devinait ma pensée. Elle eut un sourire assez ambigu.

« Ici, évidemment, dit-elle, tu n'auras pas Nova. »

Je rougis, haussai les épaules et me dressai sur mon séant. Mes forces étaient revenues et j'avais hâte de me lancer dans ma nouvelle vie.

« Te sens-tu assez fort pour assister à une petite réunion ? demanda Zira. Nous avons invité quelques amis, tous des chimpanzés, pour célébrer ce grand jour. »

Je répondis que rien ne me ferait plus plaisir, mais que je ne voulais plus me promener nu. Je remarquai alors que je portais un pyjama, Cornélius m'ayant prêté l'un des siens. Mais si je pouvais, à la rigueur, endosser un pyjama de chimpanzé, j'aurais été grotesque dans un de ses costumes.

« Tu auras demain une garde-robe complète et, dès ce soir, un complet convenable. Voici le tailleur. »

Un chimpanzé de petite taille entrait, me saluant avec une grande courtoisie. J'appris que les plus célèbres tailleurs s'étaient disputé l'honneur de me vêtir, pendant mon évanouissement. Celui-ci, le plus réputé, avait pour clients les plus grands gorilles de la capitale.

J'admirai son adresse et sa célérité. En moins de deux heures, il avait réussi à me confectionner un costume acceptable. J'éprouvai une grande surprise à me sentir habillé et Zira me contemplait avec de grands yeux. Pendant que l'artiste faisait des retouches, Cornélius fit entrer les journalistes, qui se battaient à la porte. Je fus mis sur la sellette pendant plus d'une heure, harcelé de questions, mitraillé par les photographes, obligé de fournir les détails les plus piquants sur la planète Terre et la vie qu'y menaient les hommes. Je me prêtai de bonne grâce à cette cérémonie. Journaliste moi-même, je comprenais l'aubaine que je représentais pour ces confrères et je savais que la presse était pour moi un puissant appui.

Il était tard quans ils se retirèrent. Nous allions sortir pour rejoindre les amis de Cornélius, quand nous fûmes retenus par l'arrivée de Zanam. Il devait être au courant des derniers événements, car il me salua très bas. Il cherchait Zira, pour lui dire que tout n'allait pas pour le mieux dans son service. Furieuse de mon absence prolongée, Nova menait un grand tapage. Sa nervosité avait gagné tous les autres captifs et aucun coup de pique ne pouvait les calmer.

« J'y vais, dit Zira. Attendez-moi ici. »

Je lui lançai un coup d'œil suppliant. Elle hésita, puis haussa les épaules.

« Accompagne-moi si tu veux, dit-elle. Après tout, tu es libre et tu sauras peut-être la calmer mieux que moi. »

Je pénétrai à son côté dans la salle des cages. Les prisonniers se calmèrent dès qu'ils m'aperçurent et un silence curieux succéda au tumulte. Ils me reconnaissaient certainement malgré mes habits et semblaient comprendre qu'ils étaient en présence d'un événement miraculeux.

Je me dirigeai en tremblant vers la cage de Nova ; la mienne. Je m'approchai d'elle ; je lui souris ; je lui parlai. J'eus un moment l'impression nouvelle qu'elle suivait ma pensée et qu'elle allait me répondre. Cela était impossible, mais ma simple présence l'avait calmée, comme les autres. Elle accepta un morceau de sucre que je lui tendis et le dévora pendant que je m'éloignais, le cœur gros.

De cette soirée, qui eut lieu dans un cabaret à la mode — Cornélius avait décidé de m'imposer d'un coup à la société simienne puisque, aussi bien, j'étais maintenant destiné à vivre parmi elle — j'ai gardé un souvenir confus et assez troublant.

La confusion venait de l'alcool que j'ingurgitai dès mon arrivée et auquel mon organisme n'était plus accoutumé. L'effet troublant était une sensation insolite, qui devait s'emparer de moi en bien d'autres occasions par la suite. Je ne pourrais mieux la décrire que comme un affaiblissement progressif dans mon esprit de la nature simienne des personnages qui m'entouraient, au bénéfice de leur fonction et du rôle qu'ils tenaient dans la société. Le maître d'hôtel, par exemple, qui s'approcha avec obséquiosité pour nous diriger vers notre table, je voyais en lui *le maître d'hôtel* seulement et le gorille avait tendance à s'estomper. Telle vieille guenon outrageusement fardée s'effaçait devant *la vieille coquette* et, quand je dansais avec Zira, j'oubliais complètement sa condition pour ne plus sentir dans mes bras que la taille d'une danseuse. L'orchestre chimpanzé n'était plus qu'un orchestre banal et les élégants singes du monde qui faisaient des traits d'esprit autour de moi devenaient de simples gens du monde.

Je n'insisterai pas sur la sensation que ma présence suscita parmi ceux-ci. J'étais le point de mire de tous les regards. Je dus donner des autographes à de nombreux amateurs et les deux gorilles que Cornélius avait eu la prudence d'amener eurent fort à faire pour me défendre contre un tourbillon de guenons de tout âge, qui se disputaient l'honneur de trinquer ou de danser avec moi.

La nuit était fort avancée. J'étais à demi ivre quand la pensée du professeur Antelle me traversa l'esprit. Je me sentis submergé par un noir remords. Je n'étais pas loin de verser des pleurs sur ma propre infamie, en songeant que j'étais là à m'amuser et à boire avec des singes, quand mon compagnon se morfondait sur la paille, dans une cage.

Zira me demanda ce qui m'attristait. Je le lui dis. Cornélius m'apprit alors qu'il s'était enquis du professeur et que celui-ci était en bonne santé. Rien ne s'opposerait, maintenant, à sa mise en liberté. Je proclamai avec force que je ne pouvais attendre une minute de plus avant de lui apporter cette nouvelle.

« Après tout, admit Cornélius après avoir réfléchi, on

ne peut rien vous refuser un jour pareil. Allons-y. Je connais le directeur du Zoo. »

Nous quittâmes tous trois le cabaret et nous nous rendîmes au jardin. Le directeur, réveillé, s'empressa. Il connaissait mon histoire. Cornélius lui apprit la véritable identité d'un des hommes qu'il détenait dans une cage. Il n'en pouvait croire ses oreilles mais ne voulait rien me refuser, lui non plus. Il faudrait évidemment attendre le jour et remplir quelques formalités pour qu'il pût libérer le professeur, mais rien ne s'opposait à notre entretien immédiat. Il s'offrit à nous accompagner.

Le jour se levait quand nous arrivâmes devant la cage où l'infortuné savant vivait comme une bête, au milieu d'une cinquantaine d'hommes et de femmes. Ceux-ci dormaient encore, assemblés par couples ou par groupes de quatre ou cinq. Ils ouvrirent les yeux dès que le directeur donna de la lumière.

Je ne fus pas long à découvrir mon compagnon. Il était allongé sur le sol comme les autres, recroquevillé contre le corps d'une fille, assez jeune, me sembla-t-il. Je frémis en le voyant ainsi et m'attendris par la même occasion sur l'abjection à laquelle j'avais été, moi aussi, réduit pendant quatre mois.

J'étais si bouleversé que je ne pouvais parler. Les hommes, à présent éveillés, ne manifestaient guère de surprise. Ils étaient apprivoisés et bien dressés ; ils commencèrent à exécuter leurs tours habituels, dans l'espoir de quelque récompense. Le directeur leur jeta des débris de gâteau. Il y eut aussitôt des bousculades et des bagarres comme dans la journée, tandis que les plus sages prenaient leur position favorite, accroupis près de la grille, tendant une main implorante.

Le professeur Antelle imita ceux-ci. Il s'approcha aussi près que possible du directeur et mendia une friandise. Ce comportement indigne me causa un malaise profond, qui se transforma bientôt en une angoisse insupportable. Il était à trois pas de moi ; il me regardait et ne semblait pas me reconnaître. En vérité, son œil, si vivifiant autrefois, avait perdu toute flamme et suggérait le même néant spirituel que celui des autres captifs. Je n'y découvrais avec terreur qu'un peu d'émoi, le même, exactement le même que suscitait la présence d'un homme habillé parmi les captifs.

Je fis un violent effort et réussis enfin à parler pour dissiper ce cauchemar.

« Professeur, dis-je, maître, c'est moi, Ulysse Mérou. Nous sommes sauvés. Je suis venu vous l'annoncer... »

Je m'arrêtai, interdit. Au son de ma voix, il avait eu le même réflexe que les hommes de la planète Soror. Il avait brusquement tendu le cou et esquissé un pas de retraite.

« Professeur Antelle, insistai-je, éploré ; c'est moi, moi, Ulysse Mérou, votre compagnon de voyage. Je suis libre et dans quelques heures vous le serez aussi. Les singes que vous voyez là sont nos amis. Ils savent qui nous sommes et nous accueillent comme des frères. »

Il ne répondit pas une parole. Il ne manifesta pas la moindre compréhension ; mais, d'un nouveau mouvement furtif, semblable à celui d'une bête apeurée, il se recula un peu plus.

J'étais désespéré et les singes paraissaient fort intrigués. Cornélius fronçait le sourcil, comme lorsqu'il cherchait la solution d'un problème. Il me vint à l'esprit que le professeur, effrayé par leur présence, pouvait fort bien simuler l'inconscience. Je leur demandai de s'éloigner et de me laisser seul avec lui, ce qu'ils firent de bonne grâce. Quand ils eurent disparu, je tournai autour de la cage, pour m'approcher du point où le savant s'était réfugié et je lui parlai de nouveau.

« Maître, implorai-je, je comprends votre prudence. Je sais à quoi s'exposent les hommes de la Terre sur cette planète. Mais nous sommes seuls, je vous le jure, et vos épreuves sont terminées. C'est moi qui vous le dis, moi, votre compagnon, votre disciple, votre ami, moi, Ulysse Mérou. »

Il fit encore un saut en arrière, me lançant des regards furtifs. Alors, comme je restais là, tremblant, ne sachant plus par quels mots le toucher, sa bouche s'entrouvrit.

Avais-je enfin réussi à le convaincre ? Je le regardai, haletant d'espoir. Mais je restai muet d'horreur devant le genre de manifestation qui traduisit son émoi. J'ai dit que sa bouche s'était entrouverte ; mais ce n'était pas là le geste volontaire d'une créature qui s'apprête à parler. Il en sortit un son de gorge semblable à ceux qu'émettaient les étranges hommes de cette planète, pour exprimer la satisfaction ou la peur. Là, devant moi, sans remuer les lèvres, tandis que l'épouvante me glaçait le cœur, le professeur Antelle poussa un long ululement.

TROISIÈME PARTIE

CHAPITRE PREMIER

Je me réveillai de bonne heure, après un sommeil agité. Je me retournai trois ou quatre fois dans mon lit et me frottai les yeux avant de reprendre conscience, encore mal habitué à la vie de civilisé que je menais depuis un mois, inquiet, chaque matin, de ne pas entendre craquer la paille et de ne pas sentir le chaud contact de Nova.

Je recouvrai enfin mes esprits. J'occupais un des appartements les plus confortables de l'Institut. Les singes s'étaient montrés généreux. J'avais un lit, une salle de bains, des vêtements, des livres, un poste de télévision. Je lisais tous les journaux ; j'étais libre ; je pouvais sortir, me promener dans les rues, assister à n'importe quel spectacle. Ma présence en un lieu public suscitait toujours un intérêt considérable, mais l'émoi des premiers jours commençait à s'apaiser.

C'était maintenant Cornélius le grand maître scientifique de l'Institut. Zaïus avait été limogé — on lui avait cependant accordé un autre poste et une nouvelle décoration — et le fiancé de Zira nommé à sa place. Il en était résulté un rajeunissement des cadres, une promotion générale du parti chimpanzé et une recrudescence d'activité dans tous les travaux. Zira était devenue adjointe au nouveau directeur.

Pour moi, je participais aux recherches du savant, non plus comme cobaye, mais comme collaborateur.

Cornélius n'avait d'ailleurs obtenu cette faveur qu'avec de grandes difficultés et après beaucoup de réticences du Grand Conseil. Les autorités paraissaient n'admettre qu'à contrecœur ma nature et mon origine.

Je m'habillai rapidement, sortis de ma chambre et me dirigeai vers le bâtiment de l'Institut où j'avais été autrefois prisonnier, le service de Zira, qu'elle dirigeait encore, en plus de ses nouvelles fonctions. Avec l'accord de Cornélius, j'avais entrepris là une étude systématique des hommes.

Me voici dans la salle des cages, arpentant le passage devant les grilles comme un des maîtres de cette planète. Avouerais-je que j'y fais de fréquentes visites, plus fréquentes que mes études ne l'exigent ? Parfois la permanence de l'entourage simien me paraît pesante et je trouve là une sorte de refuge.

Les captifs me connaissent bien maintenant, et admettent mon autorité. Font-ils une différence entre moi, Zira et les gardiens qui leur apportent à manger ? Je le souhaiterais, mais j'en doute. Depuis un mois, malgré ma patience et mes efforts, je n'ai pas réussi, moi non plus, à leur faire accomplir de performances supérieures à celles des bêtes bien dressées. Un secret instinct m'avertit qu'il y a pourtant en eux des possibilités plus grandes.

Je voudrais leur apprendre à parler. C'est cela ma grande ambition. Je n'y ai pas réussi, certes ; c'est à peine si quelques-uns parviennent à répéter deux ou trois sons monosyllabiques, ce que font certains chimpanzés de chez nous. C'est peu, mais je m'obstine. Ce qui m'encourage, c'est l'insistance nouvelle de tous les regards à chercher le mien, regards qui me paraissent se transformer depuis quelque temps et où il me semble voir poindre une certaine curiosité d'une essence supérieure à la perplexité animale.

Je fais lentement le tour de la salle, m'arrêtant devant chacun d'eux. Je leur parle ; je leur parle doucement, avec patience. Ils sont habitués, maintenant, à cette manifestation, de ma part insolite. Ils semblent écouter. Je continue pendant quelques minutes, puis je renonce aux phrases et je prononce des mots simples, les répétant plusieurs fois, espérant un écho. L'un d'eux articule maladroitement une syllabe, mais cela n'ira pas plus loin aujourd'hui. Le sujet se fatigue bientôt, abandonne une tâche surhumaine et se couche sur la paille comme après un labeur accablant. Je soupire et je passe à un autre. J'arrive enfin devant la cage où Nova végète à présent, solitaire et triste ; triste, c'est du moins ce que je veux croire, avec ma suffisance d'homme de la Terre, m'efforçant de découvrir ce sentiment sur ses traits admirables et inexpressifs. Zira ne lui a pas donné d'autre compagnon et je lui en suis reconnaissant.

Je pense souvent à Nova. Je ne peux oublier les heures passées en sa compagnie. Mais je ne suis plus jamais entré dans sa cage ; le respect humain me l'interdit. N'est-elle pas un animal ? J'évolue maintenant dans les hautes sphères scientifiques ; comment me laisser aller à une telle promiscuité ? Je rougis au souvenir de notre intimité passée. Depuis que j'ai changé de camp, je me suis même interdit de lui témoigner plus d'amitié qu'à ses semblables.

Je suis tout de même obligé de constater qu'elle est un sujet d'élite et je m'en réjouis. J'obtiens avec elle de meilleurs résultats qu'avec les autres. Elle est venue se coller contre les barreaux dès mon approche et sa bouche se contracte en une grimace qui pourrait presque passer pour un sourire. Avant même que j'aie ouvert la bouche, elle essaie de prononcer les quatre ou cinq syllabes qu'elle a apprises. Elle y met une application évidente. Est-elle naturellement plus douée que les autres ? Ou bien mon contact l'a-t-il polie et rendue apte à mieux profiter de mes leçons ? Je me plais à penser, avec une certaine complaisance, qu'il en est ainsi.

Je prononce son nom, puis le mien, nous désignant alternativement du doigt l'un et l'autre. Elle esquisse le même geste. Mais je la vois changer d'un seul coup de physionomie et elle montre les dents, tandis que j'entends un rire léger derrière moi.

C'est Zira, qui se moque sans méchanceté de mes efforts et sa présence excite toujours la colère de la fille. Elle est accompagnée de Cornélius. Celui-ci s'intéresse à mes tentatives et vient souvent se rendre compte par lui-même des résultats. Aujourd'hui, c'est dans un autre dessein qu'il me cherche. Il a l'air assez surexcité.

Vous plairait-il d'entreprendre avec moi un petit voyage, Ulysse ?

— Un voyage ?

— Assez loin ; presque aux antipodes. Des archéologues ont découvert là-bas des ruines extrêmement curieuses, si j'en crois les rapports qui nous parviennent. C'est un orang-outan qui dirige les fouilles et on ne peut guère compter sur lui pour interpréter correctement ces vestiges. Il y a là une énigme qui me passionne et qui peut apporter des éléments décisifs pour certaines recherches que j'ai entreprises. L'Académie m'envoie là-bas en mission et je crois que votre présence serait très utile. »

Je ne vois pas en quoi je pourrais l'aider, mais j'accepte avec joie cette occasion de voir d'autres aspects de Soror. Il me conduit dans son bureau pour me donner d'autres détails.

Je suis enchanté de cette diversion, qui est une excuse pour ne pas terminer ma tournée ; car il me reste un prisonnier à aller voir : le professeur Antelle. Il est toujours dans le même état, ce qui rend impossible sa mise en liberté. Grâce à moi, on l'a cependant placé à part, isolé dans une cellule assez confortable. C'est un devoir pénible pour moi de lui rendre visite. Il ne répond à aucune de mes sollicitations et se conduit toujours comme un parfait animal.

CHAPITRE II

Nous partîmes une semaine plus tard. Zira nous accompagnait, mais elle devait rentrer après quelques jours pour s'occuper de l'Institut en l'absence de Cornélius. Celui-ci comptait séjourner plus longtemps sur le lieu des fouilles, si celles-ci étaient aussi intéressantes qu'il le prévoyait.

Un avion spécial était mis à notre disposition, un appareil à réaction assez semblable à nos premiers types de ce genre, mais très confortable et comportant un petit salon insonorisé, où l'on pouvait converser sans gêne. C'est là que nous nous retrouvâmes, Zira et moi, peu après le départ. J'étais heureux de ce voyage. J'étais à présent bien acclimaté dans le monde simien. Je n'avais été ni surpris ni effrayé de voir ce gros avion piloté par un singe. Je ne pensais qu'à jouir du paysage et du spectacle impressionnant de Bételgeuse à son lever. Nous avions atteint une altitude d'environ dix mille mètres. L'air était d'une pureté remarquable et l'astre géant se détachait sur l'horizon comme notre soleil observé à travers une lunette. Zira ne se lassait pas de l'admirer.

« Y a-t-il d'aussi belles matinées sur la Terre ? me demanda-t-elle. Est-ce que ton soleil est aussi beau que le nôtre ? »

Je lui répondis qu'il était moins gros et moins rouge, mais qu'il suffisait à nos ambitions. En revanche, notre astre nocturne était plus grand et répandait une lumière pâle plus intense que celui de Soror. Nous nous sentions joyeux comme des écoliers en vacances et je plaisantais avec elle comme avec une amie très chère. Quand Cornélius vint nous rejoindre, au bout d'un moment, je lui en voulus presque de troubler notre tête-à-tête. Il était soucieux. Depuis quelque temps d'ailleurs, il semblait nerveux. Il travaillait énormément, poursuivant des recherches personnelles qui l'absorbaient au point de lui occasionner parfois des moments d'absence totale. Il avait toujours gardé le secret au sujet de ces travaux et je crois que Zira les ignorait comme moi. Je savais seulement qu'ils étaient en rapport avec l'origine du singe et que le savant chimpanzé tendait de plus en plus à s'écarter des théories classiques. Ce matin-là, il m'en dévoila pour la première fois quelques aspects et je ne tardai pas à comprendre pourquoi mon existence d'homme civilisé était si importante pour lui. Il commença par reprendre un sujet mille fois débattu entre nous.

« Vous m'avez bien dit, Ulysse, que, sur votre Terre, les singes sont de véritables animaux ? Que l'homme s'est élevé à un degré de civilisation qui égale le nôtre et qui, sur beaucoup de points, même... ? N'ayez pas peur de me vexer, l'esprit scientifique ignore l'amour-propre.

— ... Qui, sur beaucoup de points, le dépasse ; c'est indéniable. Une des meilleures preuves, c'est que je suis ici. Il semble que vous en soyez au point...

— Je sais, je sais, interrompit-il avec lassitude. Nous avons discuté de tout cela. Nous pénétrons maintenant les secrets que vous avez découverts il y a quelques siècles... Et ce ne sont pas seulement vos déclarations qui m'agitent, continua-t-il en se mettant à arpenter nerveusement le petit salon. Je suis depuis longtemps harcelé par l'intuition — une intuition étayée par certains indices concrets — que ces secrets, ici même, sur notre planète, d'autres intelligences en ont possédé la clef dans un passé lointain. »

J'aurais pu lui répondre que cette impression de redécouverte avait aussi affecté certains esprits de la Terre. Peut-être même était-elle universellement répandue et peut-être servait-elle de base à notre croyance en un Dieu. Mais je me gardai de l'interrompre. Il suivait une pensée encore confuse, qu'il exprimait d'une manière très réticente.

« Des intelligences, répéta-t-il pensivement et qui, peut-être, n'étaient pas... »

Il s'interrompit brusquement. Il avait l'air malheureux, comme tourmenté par la perception d'une vérité que son esprit répugnait à admettre.

« Vous m'avez bien dit aussi que les singes possèdent chez vous un esprit d'imitation très développé ?

— Ils nous imitent dans tout ce que nous faisons, je veux dire dans tous les actes qui ne demandent pas un véritable raisonnement. C'est au point que le verbe *singer* est, pour nous, synonyme d'imiter.

— Zira, murmura Cornélius avec une sorte d'accablement, n'est-ce pas cet esprit de *singerie* qui nous caractérise; nous aussi ? »

Sans laisser à Zira le temps de protester, il poursuivit avec animation :

« Cela commence dès notre enfance. Tout notre enseignement est basé sur l'imitation.

— Ce sont les orangs-outans...

— Eh ! ils ont une importance capitale, puisque ce sont eux qui forment la jeunesse par leurs livres. Ils obligent l'enfant singe à répéter toutes les erreurs de ses ancêtres. Cela explique la lenteur de nos progrès. Depuis dix mille ans, nous restons semblables à nous-mêmes. »

Cette lenteur du développement chez les singes mérite quelques commentaires. J'en avais été frappé en étudiant leur histoire, sentant là des différences importantes avec l'essor de l'esprit humain. Certes, nous avons connu, nous aussi, une ère de quasi-stagnation. Nous avons eu nos orangs-outans, notre enseignement faussé, nos progammes ridicules et cette période a duré fort longtemps.

Pas aussi longtemps, toutefois, que chez les singes et

surtout, pas au même stade de l'évolution. L'âge obscur que déplorait le chimpanzé s'était étendu sur environ dix mille années. Pendant cette ère aucun progrès notable n'avait été réalisé, sauf, peut-être, durant le dernier demi-siècle. Mais ce qui était extrêmement curieux pour moi, c'est que leurs premières légendes, leurs premières chroniques, leurs premiers *souvenirs* témoignaient d'une civilisation déjà très avancée, à peu près semblable, en fait, à celle d'aujourd'hui. Ces documents, vieux de dix mille ans, apportaient la preuve d'une connaissance générale et de réalisations comparables à la connaissance et aux réalisations actuelles ; et, avant eux, c'était l'obscurité complète : aucune tradition orale ni écrite, aucun indice.. En résumé, il semblait que la civilisation simienne eût fait une apparition miraculeuse, d'un seul coup, dix mille ans auparavant, et qu'elle se fût conservée depuis, à peu près sans modification. Le singe moyen avait été accoutumé à trouver ce fait naturel, n'imaginant pas un état de conscience différent, mais un esprit subtil comme Cornélius sentait là une énigme et en était tourmenté.

« Il y a des singes capables de création originale, protesta Zira.

— Certes, admit Cornélius ; c'est vrai, depuis quelques années surtout. A la longue, l'esprit peut s'incarner dans le geste. Il le doit, même ; c'est le cours naturel de l'évolution... Mais ce que je cherche avec passion, Zira, ce que je veux trouver, c'est comment tout cela a commencé... Aujourd'hui, il ne me paraît pas impossible que ce soit par une simple imitation, à l'origine de notre ère.

— Imitation de quoi, de qui ? »

Il avait repris ses manières réticentes, baissa les yeux, comme regrettant d'en avoir trop dit.

« Je ne peux pas encore conclure, dit-il enfin. Il me faut des preuves. Peut-être les trouverons-nous dans les ruines de la cité ensevelie. D'après les rapports, elle existait il y a beaucoup plus de dix mille années, à une époque dont nous ignorons tout. »

CHAPITRE III

Cornélius ne m'en a pas dit davantage et il semble qu'il répugne à le faire, mais ce que j'entrevois déjà dans ses théories me plonge dans une singulière exaltation.

C'est une cité entière que les archéologues ont mise au jour, une ville ensevelie sous les sables d'un désert, dont il ne reste, hélas ! que des ruines. Mais ces ruines, j'en ai la conviction, détiennent un secret prodigieux que je fais le serment de percer. Cela doit être possible pour qui sait observer et réfléchir, ce dont l'orangoutan qui dirige les fouilles ne semble guère capable. Il a accueilli Cornélius avec le respect dû à sa haute situation, mais avec un dédain à peine voilé pour sa jeunesse et pour les idées originales qu'il émet parfois.

Effectuer des recherches à travers des pierres qui s'effritent à chaque geste et du sable qui croule sous nos pas est un travail de bénédictin. Cela fait un mois que nous nous y employons. Zira nous a quittés depuis longtemps, mais Cornélius s'obstine à prolonger son séjour. Il est aussi passionné que moi, persuadé que c'est ici, parmi ces vestiges du passé, que se trouve la solution des grands problèmes qui le tourmentent.

L'étendue de ses connaissances est vraiment étonnante. Il a d'abord tenu à vérifier par lui-même l'ancienneté de la cité. Les singes ont pour cela des procédés comparables aux nôtres, mettant en jeu des notions approfondies de chimie, de physique et de géologie. Sur ce point, le chimpanzé est tombé d'accord avec les savants officiels : la ville est très, très vieille. Elle a beaucoup plus de dix mille ans, c'est-à-dire qu'elle constitue un document unique, tendant à prouver que la civilisation simienne actuelle n'a pas jailli du néant, par miracle.

Il y a eu quelque chose avant l'ère actuelle. Quoi ? Après ce mois d'investigations fiévreuses, nous sommes déçus, car il semble que cette cité préhistorique, elle-même, n'était pas très différente de celle d'aujourd'hui. Nous avons trouvé des ruines de maisons, des traces d'usines, des vestiges prouvant que ces ancêtres possédaient des automobiles et des avions, tout comme les singes d'aujourd'hui. Cela fait remonter les origines de l'esprit très loin dans le passé. Ce n'est pas tout ce que Cornélius attendait, je le sens ; ce n'est pas ce que j'espérais.

Ce matin, Cornélius m'a précédé sur le chantier, où les ouvriers ont mis au jour une maison aux murs épais, faits d'une sorte de béton, qui semble mieux conservée que les autres. L'intérieur est rempli de sable et de débris, qu'ils ont entrepris de passer au crible. Hier encore, ils n'avaient rien trouvé de plus que dans les autres sections : fragments de tuyauterie, d'appareils ménagers, d'ustensiles de cuisine. Je paresse encore un peu sur le seuil de la tente que je partage avec le savant. J'aperçois de ma place l'orang-outan qui donne des ordres au chef d'équipe, un jeune chimpanzé au regard malin. Je ne vois pas Cornélius. Il est dans la fosse avec les ouvriers. Il met souvent la main à la pâte, craignant qu'ils ne fassent quelque bêtise et qu'un élément intéressant ne leur échappe.

Le voici justement qui sort du trou et je ne suis pas long à m'apercevoir qu'il a fait une découverte exceptionnelle. Il tient entre ses deux mains un petit objet que je ne distingue pas. Il a écarté sans ménagement le vieil orang qui tentait de s'en emparer et le dépose sur

144

le sol avec mille précautions. Il regarde dans ma direction et me fait de grands gestes. M'étant approché, je suis frappé par l'altération de ses traits.

« Ulysse, Ulysse ! »

Jamais je ne l'ai vu dans un tel état. Il peut à peine parler. Les ouvriers, qui sont sortis eux aussi de la fosse, font le cercle autour de sa trouvaille et m'empêchent de la voir. Ils se la montrent du doigt et paraissent, eux, simplement amusés. Certains rient franchement. Ce sont presque tous de robustes gorilles. Cornélius les tient à distance.

« Ulysse !

— Qu'y a-t-il donc ? »

Je découvre à mon tour l'objet posé sur le sable, en même temps qu'il murmure d'une voix étranglée :

« Une poupée, Ulysse, une poupée ! »

C'est une poupée, une simple poupée de porcelaine. Un miracle l'a conservée presque intacte, avec des vestiges de cheveux, et des yeux qui portent encore quelques écailles de couleur. C'est une vision si familière pour moi que je ne comprends pas, tout d'abord, l'émotion de Cornélius. Il me faut plusieurs secondes pour réaliser... J'y suis ! l'insolite me pénètre et me bouleverse aussitôt. C'est une poupée *humaine,* qui représente une fille, une fille de chez nous. Mais je refuse de me laisser entraîner par des chimères. Avant de crier au prodige, il faut examiner toutes les possibilités de causes banales. Un savant comme Cornélius a certainement dû le faire. Voyons : parmi les poupées des enfants singes, il en existe quelques-unes, peu, mais enfin quelques-unes, ayant la forme animale et même humaine. Ce n'est pas la seule présence de celle-ci qui peut émouvoir ainsi le chimpanzé... M'y voici encore : les jouets des petits singes figurant des animaux ne sont pas en porcelaine ; et surtout, en général ils ne sont pas *habillés ;* pas habillés en tout cas comme des êtres raisonnables. Et cette poupée, je vous le dis, est vêtue comme une poupée de chez nous — on distingue des restes bien apparents de la robe, du corsage, du jupon et de la culotte — vêtue avec le goût que mettrait une petite fille de la Terre à parer sa poupée favorite, avec le soin que prendrait une petite guenon de Soror à habiller sa poupée guenon ; un soin que jamais, *jamais*, elle n'apporterait à travestir une forme animale comme la forme humaine. Je comprends, je comprends de mieux en mieux l'émoi de mon subtil ami chimpanzé.

Et ce n'est pas tout. Ce jouet présente une autre anomalie, une autre bizarrerie qui a fait rire tous les ouvriers et même sourire le solennel orang-outan qui dirige les fouilles. La poupée *parle*. Elle parle comme une poupée de chez nous. En la posant, Cornélius a pressé par hasard le mécanisme resté intact et elle a parlé. Oh ! elle n'a pas fait de discours. Elle a prononcé un mot, un simple mot de deux syllabes : *pa-pa*. Pa-pa, dit encore la poupée, comme Cornélius la reprend et la tourne en tous sens entre ses mains agiles. Le mot est le même en français et en langage simien, peut-être aussi en bien d'autres langages de ce cosmos mystérieux, et il a la même signification. Pa-pa, redit la poupée humaine, et c'est cela surtout qui fait rougir le mufle de mon savant compagnon ; c'est cela qui me bouleverse au point que je suis obligé de me retenir pour ne pas crier, tandis qu'il m'entraîne à l'écart, emportant sa précieuse découverte.

« Le monstrueux imbécile ! » murmura-t-il après un long silence.

Je sais de qui il parle et je partage son indignation. Le vieil orang décoré a vu là un simple jouet de petite guenon, qu'un fabricant excentrique, vivant dans un passé lointain, aurait doté de la parole. Il est inutile de lui proposer une autre explication. Cornélius ne l'essaie même pas. Celle qui se présente naturellement à son esprit lui paraît même si troublante qu'il la garde pour lui. Il ne m'en souffle pas mot à moi-même, mais il sait bien que je l'ai devinée.

Il reste songeur et muet pendant tout le reste de la journée. J'ai l'impression qu'il a peur, à présent, de poursuivre ses recherches et qu'il regrette ses demi-confidences. Sa surexcitation tombée, il déplore que j'aie été témoin de sa découverte.

Dès le lendemain, j'ai la preuve qu'il se repent de m'avoir amené ici. Après une nuit de réflexion, il m'apprend, en évitant mon regard, qu'il a décidé de me renvoyer à l'Institut, où je pourrai continuer des études plus importantes que dans ces ruines. Mon billet d'avion est retenu. Je partirai dans vingt-quatre heures.

CHAPITRE IV

Supposons, me dis-je, que les hommes aient autrefois régné en maîtres sur cette planète. Supposons qu'une civilisation humaine, semblable à la nôtre, ait fleuri sur Soror, il y a plus de dix mille ans...

Ce n'est pas du tout une hypothèse insensée ; au contraire. A peine l'ai-je formulée que je sens l'exaltation que procure la découverte de la seule bonne piste parmi les sentiers trompeurs. C'est dans cette voie, je le sais, que se trouve la solution de l'irritant mystère simien. Je m'aperçois que mon inconscient avait toujours rêvé quelque explication de ce genre.

Je suis dans l'avion qui me ramène vers la capitale, accompagné par un secrétaire de Cornélius, un chimpanzé peu bavard. Je n'éprouve pas le besoin de m'entretenir avec lui. L'avion m'a toujours disposé à la méditation. Je ne trouverai pas de meilleure occasion que ce voyage pour mettre de l'ordre dans mes idées.

... Supposons donc l'existence lointaine d'une civilisation semblable à la nôtre sur la planète Soror. Est-il possible que des créatures dénuées de sagesse l'aient perpétuée par un simple processus d'imitation ? La réponse à cette question me paraît hasardeuse, mais à force de la tourner dans ma tête, une foule d'arguments se présentent, qui détruisent peu à peu son caractère d'extravagance. Que des machines perfectionnées puissent nous succéder un jour, c'est, je m'en souviens, une idée très commune sur la Terre. Elle est courante non seulement parmi les poètes et les romanciers, mais dans toutes les classes de la société. C'est peut-être parce qu'elle est ainsi répandue, née spontanément dans l'imagination populaire, qu'elle irrite les esprits supérieurs. Peut-être est-ce aussi pour cette raison qu'elle renferme une part de vérité. Une part seulement : les machines seront toujours des machines ; le robot le plus perfectionné, toujours un robot. Mais s'il s'agit de créatures vivantes possédant un certain degré de psychisme, comme les singes ? Et *justement*, les singes sont doués d'un sens aigu de l'imitation...

Je ferme les yeux. Je me laisse bercer par le ronflement des moteurs. J'éprouve le besoin de discuter avec moi-même pour justifier ma position.

Qu'est-ce qui caractérise une civilisation ? Est-ce l'exceptionnel génie ? Non ; c'est la vie de tous les jours... Hum ! Faisons la part belle à l'esprit. Concédons que ce sont d'abord les arts et, au premier chef, la littérature. Celle-ci est-elle vraiment hors de portée de nos grands singes supérieurs, si l'on admet qu'ils soient capables d'assembler des mots ? De quoi est faite notre littérature ? De chefs-d'œuvre ? Là encore, non. Mais un livre original ayant été écrit — il n'y a guère plus d'un ou deux siècles — les hommes de lettres l'*imitent*, c'est-à-dire le recopient, de sorte que des centaines de milliers d'ouvrages sont publiés, traitant exactement des mêmes matières, avec des titres un peu différents et des combinaisons de phrases modifiées. Cela, les singes, imitateurs par essence, doivent être capables de le réaliser, à la condition encore qu'ils puissent utiliser le langage.

En somme, c'est le langage qui constitue la seule objection valable. Mais attention ! Il n'est pas indispensable que les singes comprennent ce qu'ils copient pour composer cent mille volumes à partir d'un seul. Cela ne leur est évidemment pas plus nécessaire qu'à nous. Comme nous, il leur suffit de pouvoir répéter des phrases après les avoir entendues. Tout le reste du processus littéraire est purement mécanique. C'est ici que l'opinion de certains savants biologistes prend toute sa valeur : il n'existe rien dans l'anatomie du singe, soutiennent-ils, qui s'oppose à l'usage de la parole ; rien, sinon la volonté. On peut très bien concevoir que la volonté lui soit venue un jour, par suite d'une brusque mutation.

La perpétuation d'une littérature comme la nôtre par des singes parlants ne choque donc en aucune façon l'entendement. Par la suite, peut-être, quelques *singes de lettres* se haussèrent d'un degré dans l'échelle intellectuelle. Comme le dit mon savant ami Cornélius, l'esprit s'incarna dans le geste — ici, dans le mécanisme de la parole — et quelques idées originales purent apparaître dans le nouveau monde simien, à la cadence d'une par siècle ; comme chez nous.

Suivant gaillardement ce train de pensée, j'en arrivai vite à me convaincre que des animaux bien dressés pouvaient fort bien avoir exécuté les peintures et les sculptures que j'avais admirées dans les musées de la capitale, et d'une manière générale, se révéler experts dans tous les arts humains, y compris l'art cinématographique.

Ayant considéré tout d'abord les plus hautes activités de l'esprit, il m'était trop facile d'étendre ma thèse aux autres entreprises. Notre industrie ne résista pas longtemps à mon analyse. Il m'apparut avec évidence qu'elle ne nécessitait la présence d'aucune initiative rationnelle pour se propager dans le temps. A sa base, elle comportait des manœuvres effectuant toujours les mêmes gestes, que des singes pouvaient relayer sans dommage ; aux échelons supérieurs, des cadres dont le rôle consistait à composer certains rapports et à prononcer certains mots dans des circonstances données. Tout cela était une question de réflexes conditionnés. Aux degrés encore plus élevés de l'administration, la singerie me parut encore plus facile à admettre. Pour continuer notre système, des gorilles n'auraient qu'à imiter quelques attitudes et prononcer quelques harangues, toutes calquées sur le même modèle.

J'en vins ainsi à évoquer avec une optique nouvelle les plus diverses activités de notre Terre et à les imaginer exécutées par des singes. Je me laissai prendre avec une certaine satisfaction à ce jeu, qui ne me demandait plus aucune torture intellectuelle. Je revis ainsi plusieurs réunions politiques, auxquelles j'avais assisté comme journaliste. Je me remémorai les propos routiniers tenus par les personnalités que j'avais été amené à interviewer. Je revécus avec une intensité particulière un procès célèbre que j'avais suivi quelques années auparavant.

Le défenseur était un des maîtres du barreau. Pourquoi m'apparaissait-il maintenant sous les traits d'un fier gorille, ainsi d'ailleurs que l'avocat général, une autre célébrité ? Pourquoi assimilais-je le déclenchement de leurs gestes et de leurs interventions à des réflexes conditionnés provenant d'un bon dressage ? Pourquoi le président du tribunal se confondait-il avec un orang-outan solennel récitant des phrases apprises par cœur, dont l'émission était automatique, amorcée elle aussi par telle parole d'un témoin ou tel murmure de la foule ?

Je passais ainsi la fin du voyage, obsédé par des assimilations suggestives. Quand j'abordai le monde de la finance et des affaires, ma dernière évocation fut un spectacle proprement simien, souvenir récent de la planète Soror. Il s'agissait d'une séance à la Bourse où un ami de Cornélius avait tenu à m'amener, car c'était une des curiosités de la capitale. Voici ce que j'avais vu, un tableau qui se recomposait dans mon esprit avec une curieuse netteté, pendant les dernières minutes du retour.

La Bourse était une grande bâtisse, baignant extérieurement dans une atmosphère étrange, créée par un murmure dense et confus qui allait grossissant lorsque l'on s'approchait, jusqu'à devenir un étourdissant charivari. Nous entrâmes et fûmes aussitôt au cœur du tumulte. Je me blottis contre une colonne. J'étais accoutumé aux individus singes, mais la stupeur me reprenait quand j'avais autour de moi une foule compacte. C'était le cas et le spectacle me parut encore plus incongru que celui de l'assemblée de savants, lors du fameux congrès. Que l'on s'imagine un salle immense dans toute ses dimensions et remplie, bourrée de singes, de singes hurlant, gesticulant, courant d'une manière absolument désordonnée, de singes frappés d'hystérie, de singes qui, non seulement se croisaient et s'entrechoquaient sur le plancher, mais dont la masse grouillante s'élevait jusqu'au plafond, situé à une hauteur qui me donnait le vertige. Car des échelles, des trapèzes, des cordes étaient disposés en ce lieu et leur servaient à chaque instant pour se déplacer. Ils emplissaient ainsi tout le volume du local, qui prenait l'aspect d'une gigangtesque cage aménagée pour les grotesques exhibitions de quadrumanes.

Les singes volaient littéralement dans cet espace, se raccrochant toujours à un agrès au moment où je croyais qu'ils allaient tomber ; cela, dans un vacarme infernal d'exclamations, d'interpellations, de cris et même de sons qui ne rappelaient aucun langage civilisé. Il y avait là des singes qui *aboyaient ;* parfaitement, qui aboyaient sans raison apparente, en se lançant d'un bout à l'autre de la salle, pendus au bout d'une longue corde.

« Avez-vous jamais rien vu de pareil ? » me demanda avec orgueil l'ami de Cornélius.

J'en convins de bonne grâce. Il me fallait vraiment toute ma connaissance antérieure des singes pour parvenir à les considérer comme des créatures raisonnables. Aucun être sensé amené dans ce cirque ne pouvait échapper à la conclusion qu'il assistait aux ébats de fous ou d'animaux enragés. Aucune lueur d'intelligence ne brillait dans les regards et, ici, tous se ressemblaient. Je ne pouvais distinguer l'un de l'autre. Tous habillés pareillement, portaient le même masque, qui était celui de la folie.

Ce qu'il y avait de plus troublant dans ma vision actuelle, c'est que, par un phénomène inverse de celui qui me faisait attribuer tout à l'heure une forme de gorille ou d'orang-outan aux personnages d'une scène terrestre, je voyais ici les membres de cette foule insane sous des apparences humaines. C'étaient des hommes qui m'apparaissaient ainsi hurlant, aboyant et se suspendant au bout d'un filin pour atteindre au plus vite leur but. Une fièvre me poussait à faire revivre d'autres traits de cette scène. Je me rappelai qu'après avoir observé pendant longtemps, j'avais fini par percevoir quelques détails suggérant vaguement que cette cohue faisait tout de même partie d'une organisation civilisée. Un mot articulé se détachait parfois des hurlements bestiaux. Juché sur un échafaudage à une hauteur vertigineuse, un gorille, sans interrompre la gesticulation hystérique de ses mains, saisissait d'un pied plus ferme un bâton de craie et inscrivait sur un tableau un chiffre probablement significatif. Ce gorille aussi, je lui attribuai des traits humains.

Je ne parvins à échapper à cette sorte d'hallucination qu'en revenant à mon ébauche de théorie sur les origines de la civilisation simienne et je découvris de nouveaux arguments en sa faveur dans cette réminiscence du monde de la finance.

L'avion se posait. J'étais de retour dans la capitale. Zira était venue m'attendre à l'aéroport. J'aperçus de loin son bonnet d'étudiante collé sur l'oreille et j'en ressentis une grande joie. Quand je la retrouvai, après les formalités de douane, je dus me retenir pour ne pas la prendre dans mes bras.

CHAPITRE V

Le mois qui suivit mon retour, je le passai dans mon lit, en proie à un mal contracté probablement sur le lieu des fouilles et qui se traduisit par de violents accès de fièvre, semblables à ceux du paludisme. Je ne souffrais pas, mais j'avais l'esprit en feu, retournant sans cesse dans ma tête les éléments de l'effarante vérité que j'avais entrevue. Il né faisait plus de doute pour moi qu'une ère humaine avait précédé l'âge simien sur la planète Soror et cette conviction me plongeait dans une curieuse griserie.

A bien réfléchir, pourtant, je ne sais si je dois m'enorgueillir de cette découverte ou bien en être profondément humilié. Mon amour-propre constate avec satisfaction que les singes n'ont rien inventé, qu'ils ont été de simples imitateurs. Mon humiliation tient au fait qu'une civilisation humaine ait pu être si aisément assimilée par des singes.

Comment cela a-t-il pu se produire ? Mon délire tourne sans fin autour de ce problème. Certes, nous autres, civilisations, nous savons depuis longtemps que nous sommes mortelles, mais une disparition aussi totale accable l'esprit. Choc brutal ? Cataclysme ? Ou bien lente dégradation des uns et ascension progressive des autres ? Je penche pour cette dernière hypothèse et je découvre des indices extrêmement suggestifs au sujet de cette évolution, dans la condition et dans les préoccupations actuelles des singes.

Cette importance qu'ils accordent aux recherches biologiques, par exemple, eh bien, j'en saisis clairement l'origine. Dans l'ordre ancien, beaucoup de singes devaient servir de sujets d'expérience aux hommes, comme c'est le cas dans nos laboratoires. Ce sont ceux-là qui, les premiers, relevèrent le flambeau ; ceux-là qui furent les pionniers de la révolution. Ils auront alors naturellement commencé par imiter les gestes et les attitudes observées chez leurs maîtres, et ces maîtres étaient des chercheurs, des savants biologistes, des médecins, des infirmiers et des gardiens. De là ce cachet insolite imprimé à la plupart de leurs entreprises, qui subsiste encore aujourd'hui.

Et les hommes, pendant ce temps ?

Assez spéculé sur les singes ! Voilà deux mois que je n'ai vu mes anciens compagnons de captivité, mes frères humains. Aujourd'hui, je me sens mieux. Je n'ai plus de fièvre. J'ai dit hier à Zira — Zira m'a soigné comme une sœur, pendant ma maladie — je lui ai dit que je comptais reprendre mes études dans son service. Cela n'a pas eu l'air de l'enchanter, mais elle n'a pas fait d'objection. Il est temps d'aller leur rendre visite.

Me voici de nouveau dans la salle des cages. Une étrange émotion m'étreint sur le seuil. Je vois maintenant ces créatures sous un jour nouveau. C'est avec angoisse que je me suis demandé, avant de me décider à entrer, s'ils allaient me reconnaître après ma longue absence. Or, ils m'ont reconnu. Tous les regards se sont fixés sur moi, comme autrefois et même avec une sorte de déférence. Est-ce que je rêve en y décelant une nuance nouvelle, qui m'est destinée, d'une autre qualité que celles qu'ils accordent à leurs gardiens singes ? Un reflet impossible à décrire, mais où il me semble distinguer la curiosité éveillée, une émotion insolite, des ombres de souvenirs ancestraux qui cherchent à émerger de la bestialité et, peut-être... l'éclat incertain de l'espoir.

Cet espoir, je crois bien que je le nourris inconsciemment moi-même depuis quelque temps. N'est-ce pas lui qui me plonge dans cette exaltation fébrile ? N'est-ce pas moi, moi, Ulysse Mérou, l'homme que le destin a conduit sur cette planète pour être l'instrument de la régénération humaine ?

Voilà enfin explicitée cette idée trouble qui me hante depuis un mois. Le Bon Dieu ne joue pas aux dés, comme disait autrefois un physicien. Il n'y a pas de hasard dans le cosmos. Mon voyage vers le monde de Bételgeuse a été décidé par une conscience supérieure. A moi de me montrer digne de ce choix et d'être la nouveau Sauveur de cette humanité déchue.

Comme autrefois, je fais lentement le tour de la salle. Je me force à ne pas courir vers la cage de Nova. L'envoyé du destin a-t-il le droit d'avoir des favorites ? Je m'adresse à chacun de mes sujets... Ce n'est pas encore aujourd'hui qu'ils parleront ; je m'en console ; j'ai toute la vie pour accomplir ma mission.

Je m'approche maintenant de mon ancienne cage avec une désinvolture calculée. Je regarde du coin de l'œil, mais je n'aperçois pas les bras de Nova tendus à travers la grille ; je n'entends pas les cris joyeux par lesquels elle avait pris l'habitude de m'accueillir. Un sombre pressentiment m'envahit. Je ne puis me retenir. Je me précipite. La cage est vide.

J'appelle un des gardiens, d'une voix autoritaire qui fait tressaillir tous les captifs. C'est Zanam qui vient. Il n'aime pas beaucoup que je lui donne des ordres, mais Zira lui a prescrit de se mettre à mon service.

« Où est Nova ? »

Il me répond qu'il n'en sait rien, d'un air rechigné. On l'a emmenée un jour sans lui donner d'explications. J'insiste, sans succès. Enfin, par bonheur, voici Zira, qui vient faire son tour d'inspection. Elle m'a vu devant la cage vide et devine mon émoi. Elle paraît gênée et parle la première d'un autre sujet.

« Cornélius vient de rentrer. Il voudrait te voir. »

Je me moque bien, en cet instant, de Cornélius, de

tous les chimpanzés, de tous les gorilles et des autres monstres qui peuvent hanter le ciel et l'enfer. Je montre la cellule d'un doigt.

« Nova ?

— Souffrante, dit la guenon. On l'a mise dans un bâtiment spécial. »

Elle me fait un signe et m'entraîne au-dehors, loin du gardien.

« L'administrateur m'a fait promettre de garder le secret. Je pense pourtant que tu dois savoir, toi.

— Elle est malade ?

— Rien de grave ; mais c'est un événement assez important pour alerter nos autorités. Nova est pleine.

— Elle est...

— Je veux dire : elle est enceinte », reprend la guenon, en m'observant d'un air curieux.

CHAPITRE VI

Je reste frappé de stupeur, sans réaliser encore tout ce qu'implique cet événement. Je suis assailli d'abord par une foule de détails triviaux, et surtout tourmenté par une question inquiétante : comment se fait-il qu'on ne m'en avait pas avisé ? Zira ne me laisse pas le temps de protester.

« Je m'en suis aperçue, il y a deux mois, à mon retour du voyage. Les gorilles n'y avaient vu que du feu. J'ai téléphoné à Cornélius, qui a eu, lui-même, une longue conversation avec l'administrateur. Ils ont été d'accord pour juger qu'il était préférable de garder le secret. Personne n'est au courant, sauf eux et moi. Elle est dans une cage isolée et c'est moi qui m'occupe d'elle. »

Je ressens cette dissimulation comme une trahison de la part de Cornélius et je vois bien que Zira est embarrassée. Il me semble qu'une machination est en train de se tramer dans l'ombre.

« Rassure-toi. Elle est bien traitée et ne manque de rien. Je suis aux petits soins pour elle. Jamais la grossesse d'une femelle d'homme n'a été entourée de tant de précautions. »

Je baisse les yeux comme un collégien pris en faute sous son regard narquois. Elle se force à prendre un ton ironique, mais je sens qu'elle est troublée. Certes, je sais que mon intimité physique avec Nova lui a déplu,

158

dès l'instant qu'elle a reconnu ma vraie nature, mais il y a autre chose que du dépit dans son regard. C'est son attachement pour moi qui la rend inquiète. Ces mystères au sujet de Nova ne présagent rien de bon. J'imagine qu'elle ne m'a pas dit toute la vérité, que le Grand Conseil est au courant de la situation et que des discussions ont eu lieu à un échelon très élevé.

« Quand doit-elle accoucher ?

— Dans trois ou quatre mois. »

Le côté tragi-comique de la situation me bouleverse tout d'un coup. Je vais être père dans le système de Bételgeuse. Je vais avoir un enfant sur la planète Soror, d'une femme pour laquelle je ressens une grande attirance physique, parfois de la pitié, mais qui a le cerveau d'un animal. Aucun être, dans le cosmos, ne s'est trouvé engagé dans pareille aventure. J'ai envie de pleurer et de rire en même temps.

« Zira, je veux la voir ! »

Elle a une petite moue de dépit.

« Je savais que tu le demanderais. J'en ai déjà parlé à Cornélius et je pense qu'il y consentira. Il t'attend dans son bureau.

— Cornélius est un traître !

— Tu n'as pas le droit de dire cela. Il est partagé entre son amour de la science et son devoir de singe. Il est naturel que cette naissance prochaine lui inspire de graves appréhensions. »

Mon angoisse grandit, tandis que je la suis dans les couloirs de l'Institut. Je devine le point de vue des savants singes et leur crainte de voir surgir une race nouvelle qui... Parbleu ! je vois très bien, maintenant, comment peut s'accomplir la mission dont je me sens chargé.

Cornélius m'accueille avec des paroles aimables, mais une gêne permanente est née entre nous. Par moments, il me regarde avec une sorte de terreur. Je fais effort pour ne pas aborder immédiatement le sujet qui me tient au cœur. Je lui demande des nouvelles de son voyage et de la fin de son séjour dans les ruines.

« Passionnant. Je tiens un ensemble de preuves irréfutables. »

Ses petits yeux intelligents se sont animés. Il n'a pu s'empêcher de proclamer son succès. Zira a raison : il est tiraillé entre son amour de la science et son devoir de singe. En ce moment, c'est le savant qui parle, le savant enthousiaste, pour qui le triomphe de ses théories compte seul.

« Des squelettes, dit-il ; non pas un, mais un ensemble, retrouvé dans des circonstances et dans un ordre tels qu'il s'agit, sans contestation possible, d'un cimetière. De quoi convaincre les plus obtus. Nos orangs-outans, bien entendu, s'obstinent à ne voir là que des coïncidences curieuses.

— Et ces squelettes ?

— Ils ne sont pas simiens.

— Je vois. »

Nous nous regardons dans les yeux. Son enthousiasme en partie tombé, il reprend lentement :

« Je ne peux vous le cacher ; vous l'avez deviné : ce sont des squelettes d'hommes. »

Zira est certainement au courant, car elle ne manifeste aucune surprise. Tous deux me regardent encore avec insistance. Cornélius se décide enfin à aborder franchement le problème.

« Je suis certain aujourd'hui, admet-il, qu'il a existé autrefois sur notre planète une race d'êtres humains dotés d'un esprit comparable au vôtre et à celui des hommes qui peuplent votre Terre, race qui a dégénéré et est revenue à l'état bestial... J'ai d'ailleurs trouvé ici, à mon retour, d'autres preuves de ce que j'avance.

— D'autres preuves ?

— Oui, c'est le directeur de la section encéphalique, un jeune chimpanzé de grand avenir, qui les a découvertes. Il a même du génie... Vous auriez tort de croire, continue-t-il avec une ironie douloureuse, que les singes furent toujours des imitateurs. Nous avons fait des innovations remarquables dans certaines branches de la science, particulièrement, en ce qui concerne ces

160

expériences sur le cerveau. Je vous en montrerai un jour les résultats, si je le peux. Je suis sûr qu'ils vous étonneront. »

Il semble vouloir se persuader lui-même du génie simien et s'exprime avec une inutile agressivité. Je ne l'ai jamais attaqué sur ce point. C'est lui qui déplorait le manque d'esprit créateur chez les singes, il y a deux mois. Il poursuit, dans un élan d'orgueil :

« Croyez-moi, un jour viendra où nous dépasserons les hommes dans tous les domaines. Ce n'est pas par suite d'un accident, comme vous pourriez l'imaginer, que nous avons pris leur succession. Cet événement était inscrit dans les lignes normales de l'évolution. L'homme raisonnable ayant fait son temps, un être supérieur devait lui succéder, conserver les résultats essentiels de ses conquêtes, les assimiler pendant une période de stagnation apparente, avant de s'envoler pour un nouvel essor. »

C'est une nouvelle façon d'envisager l'événement. Je pourrais lui répondre que beaucoup d'hommes, parmi nous, ont eu le pressentiment d'un être supérieur qui leur succéderait un jour, mais qu'aucun savant, philosophe ni poète n'a jamais imaginé ce surhomme sous les traits d'un singe. Mais je suis peu enclin à discuter de ce point. L'essentiel n'est-il pas, après tout, que l'esprit s'incarne dans quelque organisme ? La forme de celui-ci importe peu. J'ai bien d'autres sujets en tête ; j'amène la conversation sur Nova et sur son état. Il ne fait aucun commentaire et cherche à me consoler.

« Ne vous tourmentez pas. Tout s'arrangera, je l'espère. Ce sera probablement un enfant comme tous les petits d'hommes de Soror.

— J'espère bien que non. Je suis certain qu'il parlera ! »

Je n'ai pas pu m'empêcher de protester avec indignation. Zira fronce le sourcil pour me faire taire.

« Ne le souhaitez pas trop, dit gravement Cornélius ; dans son intérêt et dans le vôtre. »

Il ajoute sur un ton familier :

« S'il parlait, je ne sais pas si je pourrais continuer à vous protéger comme je le fais. Vous ne vous rendez donc pas compte que le Grand Conseil est alerté et que j'ai reçu des ordres très stricts pour tenir cette naissance secrète ? Si les autorités savaient que vous êtes au courant, je serais limogé, ainsi que Zira, et vous vous retrouveriez seul en face de...

— En face d'ennemis ? »

Il détourne les yeux. C'est bien ce que je pensais ; je suis considéré comme un danger pour la race simienne. Je suis tout de même heureux de sentir en Cornélius un allié, sinon un ami. Zira a dû plaider ma cause avec plus de chaleur qu'elle ne me l'a laissé entendre et il ne fera rien qui puisse lui déplaire. Il me donne l'autorisation de voir Nova, en cachette, bien entendu.

Zira me conduit vers un petit bâtiment isolé, dont elle possède seule la clef. La salle où elle me fait pénétrer n'est pas grande. Il n'y a que trois cages et deux sont vides. Nova occupe la troisième. Elle nous a entendus venir et son instinct l'a avertie de ma présence, car elle s'est levée et a tendu les bras avant de m'avoir vu. Je lui serre les mains et frotte mon visage contre le sien. Zira hausse les épaules d'un air dédaigneux, mais elle me donne la clef de la cage et va faire le guet dans le couloir. Quelle belle âme possède cette guenon ! Quelle femme serait capable d'une telle délicatesse ? Elle a deviné que nous avions des tas de choses à nous dire et nous laisse seuls.

Des choses à nous dire ? Hélas ! j'ai encore oublié la misérable condition de Nova. Je me suis précipité dans la cage ; je l'ai serrée dans mes bras ; je lui ai parlé comme si elle pouvait me comprendre, comme j'aurais parlé à Zira, par exemple.

Ne comprend-elle pas ? N'a-t-elle pas au moins une intuition confuse de la mission qui nous est impartie, à tous les deux dorénavant, à elle comme à moi ?

Je me suis allongé sur la paille à son côté. J'ai palpé le fruit naissant de nos amours insolites. Il me semble tout de même que sa situation actuelle lui a conféré une personnalité et une dignité qu'elle n'avait pas autrefois. Elle tressaille quand je promène mes doigts sur son ventre. Son regard a acquis une intensité nouvelle, c'est certain. Soudain, elle bredouille péniblement les syllabes de mon nom, que je lui avais appris à articuler. Elle n'a pas oublié mes leçons. Je suis inondé de joie. Mais son œil redevient terne et elle se détourne pour dévorer les fruits que je lui ai apportés.

Zira revient ; il est temps de nous séparer. Je sors avec elle. Me sentant désemparé, elle me raccompagne jusqu'à mon appartement, où je me mets à pleurer comme un enfant.

« Oh ! Zira, Zira ! »

Tandis qu'elle me dorlote comme une mère, je commence à lui parler, à lui parler avec tendresse, sans répit, me délivrant enfin du flot de sentiments et de pensées que Nova ne peut apprécier.

CHAPITRE VII

Admirable guenon ! Grâce à elle, je pus voir Nova assez souvent pendant cette période, à l'insu des autorités. Je passai des heures à guetter la flamme intermittente de son regard et les semaines s'écoulaient dans l'attente impatiente de la naissance.

Un jour, Cornélius se décida à me faire visiter la section encéphalique dont il m'avait dit des merveilles. Il me présenta au directeur du service, ce jeune chimpanzé nommé Hélius, dont il m'avait vanté le génie, et s'excusa de ne pouvoir m'accompagner lui-même à cause d'un travail urgent.

« Je reviendrai dans une heure pour vous montrer moi-même la perle de ces expériences, dit-il, celle qui apporte les preuves dont je vous ai parlé. En attendant, je suis certain que vous serez intéressé par les cas classiques. »

Hélius me fit pénétrer dans une salle semblable à toutes celles de l'Institut, garnie de deux rangées de cages. Je fus frappé en entrant par une odeur pharmaceutique rappelant celle du chloroforme. Il s'agissait, en effet, d'un anesthésique. Toutes les opérations chirurgicales, m'apprit mon guide, étaient maintenant exécutées sur des sujets endormis. Il insista beaucoup sur ce point, prouvant le haut degré atteint par la civilisation simienne, qui avait le souci de supprimer toute souffrance inutile, même chez les hommes. Je pouvais donc être rassuré.

Je ne l'étais qu'à moitié. Je le fus encore moins quand il conclut en mentionnant une exception à cette règle, le cas, précisément des expériences ayant pour but d'étudier la souffrance et de localiser les centres nerveux où elle prend naissance. Mais je ne devais pas en voir aujourd'hui.

Ceci n'était pas de nature à apaiser ma sensibilité humaine. Je me rappelai que Zira avait essayé de me dissuader de visiter cette section, où elle ne venait elle-même que lorsqu'elle y était obligée. J'eus envie de faire demi-tour, mais Hélius ne m'en laissa pas le temps.

« Si vous désirez assister à une opération, vous constaterez par vous-même que le patient ne souffre pas. Non ? Alors, allons voir les résultats. »

Laissant de côté la cellule fermée d'où émanait l'odeur, il m'entraîna vers les cages. Dans la première, je vis un jeune homme d'assez belle apparence, mais d'une maigreur extrême. Il était à demi étendu sur sa litière. Devant lui, presque sous son nez, on avait déposé une écuelle contenant une bouillie de céréales sucrées, dont tous les hommes étaient friands. Il la contemplait d'un œil hébété, sans faire le moindre geste.

« Voyez, me dit le directeur. Ce garçon est affamé ; il n'a pas mangé depuis vingt-quatre heures. Cependant, il ne réagit pas en présence de sa nourriture favorite. C'est le résultat de l'ablation d'une partie du cerveau antérieur, pratiquée sur lui il y a quelques mois. Depuis, il est toujours dans le même état et il faut l'alimenter de force. Observez sa maigreur. »

Il fit un signe à un infirmier, qui pénétra dans la cage et plongea la face du jeune homme dans l'écuelle. Celui-ci se mit alors à laper la bouillie.

« Un cas banal ; en voici d'autres plus intéressants. On a effectué sur chacun de ces sujets une opération altérant diverses régions de l'écorce cérébrale. »

Nous passâmes devant une suite de cages occupées par des hommes et des femmes de tout âge. A la porte de chacune, un écriteau précisait l'intervention subie, avec un grand luxe de détails techniques.

« Certaines de ces régions intéressent les réflexes naturels ; d'autres, les réflexes acquis. Celui-ci, par exemple... »

Celui-ci, l'écriteau indiquait qu'on lui avait enlevé toute une zone de la région occipitale. Il ne distinguait plus la distance ni la forme des objets, ce qu'il manifesta par une série de gestes désordonnés quand un infirmier s'approcha de lui. Il était incapable d'éviter un bâton placé en travers de sa route. Au contraire, un fruit offert lui inspirait de l'émoi et il tentait de s'en écarter avec terreur. Il ne parvenait pas à saisir les barreaux de sa cage et faisait des efforts grotesques, en refermant ses doigts sur le vide.

« Cet autre, dit le chimpanzé en clignant de l'œil, était autrefois un sujet remarquable. Nous étions parvenus à le dresser d'une manière étonnante, Il connaissait son nom et obéissait dans une certaine mesure à des ordres simples. Il avait résolu des problèmes assez compliqués et appris à se servir de quelques outils rudimentaires. Aujourd'hui, il a oublié toute son éducation. Il ignore son nom. Il ne sait plus rien faire. Il est devenu le plus stupide de nos hommes ; cela, à la suite d'une opération particulièrement délicate : l'extraction des lobes temporaux. »

Le cœur soulevé par cette succession d'horreurs, commentées par un chimpanzé grimaçant, je vis des hommes paralysés en partie ou en totalité, d'autres privés artificiellement de la vue. Je vis une jeune mère dont l'instinct maternel, autrefois très développé, m'assura Hélius, avait complètement disparu après une intervention sur le cortex cervical. Elle repoussait avec violence un de ses enfants en bas âge, chaque fois qu'il tentait de s'approcher d'elle. Cela était trop pour moi. Je songeai à Nova, à sa maternité proche et serrai les poings avec rage. Heureusement, Hélius me fit passer dans une autre salle, ce qui me laissa le temps de me ressaisir.

« Ici, me dit-il d'un air mystérieux, nous accédons à

des recherches plus délicates. Ce n'est plus le bistouri qui est entré en jeu ; c'est un agent plus subtil. Il s'agit de stimulation électrique de certains points du cerveau. Nous avons réussi des expériences remarquables. En pratiquez-vous de cette sorte sur la Terre ?

— Sur des singes ! » m'écriai-je avec fureur.

Le chimpanzé ne se fâcha pas et sourit.

« Sans doute. Toutefois, je ne crois pas que vous ayez jamais obtenu des résultats aussi parfaits que les nôtres, comparables à ceux que le docteur Cornélius veut vous montrer lui-même. En l'attendant, continuons la tournée des cas ordinaires. »

Il me poussa encore devant des cages où des infirmiers étaient en train d'opérer. Les sujets étaient allongés ici sur une sorte de table. Une incision dans le crâne mettait à nu une certaine région du cerveau. Un singe appliquait les électrodes, pendant qu'un autre surveillait l'anesthésie.

« Vous constaterez que nous insensibilisons les sujets, ici aussi ; un anesthésique léger, sans quoi les résultats seraient faussés, mais le patient n'endure aucune douleur. »

Suivant le point d'application des électrodes, le sujet se livrait à des mouvements divers, affectant presque toujours une seule moitié du corps. Un homme repliait la jambe gauche à chaque impulsion électrique, puis la déployait dès que le contact était coupé. Un autre effectuait le même mouvement avec un bras. Pour le suivant, c'était l'épaule tout entière qui se mettait à rouler spasmodiquement sous l'action du courant. Un peu plus loin, pour un patient très jeune, il s'agissait de la région commandant les muscles de la mâchoire. Alors le malheureux se mettait à mastiquer, à mastiquer inlassablement, avec un rictus épouvantable, tandis que le reste de son corps d'adolescent restait immobile.

« Observez ce qui se passe lorsque la durée du contact est prolongée, me dit Hélius. Voici une expérience qui est poussée à son extrême limite. »

L'être à qui l'on infligeait ce traitement était une

belle jeune fille, qui me rappela Nova par certains traits. Plusieurs infirmiers, singes mâles et femelles en blouse blanche, s'affairaient autour de son corps nu. Les électrodes furent fixées par une guenon au visage pensif. La fille commença immédiatement à agiter les doigts de la main gauche. La guenon maintint le contact, au lieu de le couper après quelques instants comme pour les autres cas. Alors, le mouvement des doigts devint frénétique, et peu à peu, le poignet se mit en branle. Un moment encore et ce fut l'avant-bras, puis le bras et l'épaule. L'agitation s'étendit bientôt, d'une part vers la hanche, la cuisse, la jambe et jusqu'aux orteils, d'autre part aux muscles de la face. De sorte qu'au bout de dix minutes, toute la moitié gauche de la malheureuse était secouée de spasmes convulsifs, horribles à voir, de plus en plus précipités, de plus en plus violents.

« C'est le phénomène de *l'extension,* dit calmement Hélius. Il est bien connu et aboutit à un état de convulsions qui présente tous les symptômes de l'épilepsie, épilepsie fort curieuse, d'ailleurs, n'affectant qu'une moitié du corps.

— Assez ! »

Je n'avais pu m'empêcher de crier. Tous les singes sursautèrent et tournèrent les yeux vers moi avec réprobation. Cornélius, qui venait de revenir, me frappa familièrement sur l'épaule.

« Je reconnais que ces expériences sont assez impressionnantes, quand on n'y est pas accoutumé. Mais songez que, grâce à elles, notre médecine et notre chirurgie ont accompli des progrès énormes depuis un quart de siècle. »

Cet argument ne me touchait guère, pas plus que le souvenir que j'avais du même traitement appliqué à des chimpanzés dans un laboratoire terrestre. Cornélius haussa les épaules et me poussa vers un passage étroit, qui menait dans une salle plus petite.

« Ici, dit-il, d'un ton solennel, vous allez voir une réalisation merveilleuse et absolument nouvelle. Nous ne sommes que trois à pénétrer dans cette pièce. Hélius, qui s'occupe personnellement de ces recherches et qui les a menées à bien, moi et un aide que nous avons choisi avec soin. C'est un gorille. Il est muet. Il m'est dévoué corps et âme et c'est, de plus, une brute parfaite. Vous sentez donc l'importance que j'attache au secret de ces travaux. Je consens à vous les montrer, à vous, car je sais que vous serez discret. C'est votre intérêt. »

Vous aviez une importance en...
...exprimer avec le candeur à toute...
...pitulaient devant vous avec élé...

CHAPITRE VIII

Je pénétrai dans la salle et ne vis rien tout d'abord qui me parut justifier ces airs mystérieux. L'appareillage ressemblait à celui du local précédent : générateurs, transformateurs, électrodes. Il n'y avait que deux sujets, un homme et une femme, étendus sur deux divans parallèles, maintenus sur leur couche par une sangle. Dès notre arrivée, ils se mirent à nous regarder avec une fixité singulière.

Le gorille assistant nous accueillit par un grognement inarticulé. Hélius et lui échangèrent plusieurs phrases dans le langage des sourds-muets. C'était un spectacle peu banal de voir un gorille et un chimpanzé agiter ainsi les doigts. Je ne sais pourquoi cela me parut le comble du grotesque et je faillis éclater de rire.

« Tout va bien. Ils sont calmes. Nous pouvons procéder immédiatement à un essai.

— De quoi s'agit-il ? implorai-je.

— Je préfère vous laisser la surprise », me dit Cornélius avec un petit rire.

Le gorille anesthésia les deux patients, qui s'endormirent bientôt tranquillement, et mit en marche divers appareils. Hélius s'approcha de l'homme, déroula avec précaution un pansement qui lui couvrait le crâne et, visant une certain point, appliqua les électrodes. L'homme conserva une immobilité absolue. J'interrogeais Cornélius du regard, quand le miracle se produisit.

L'homme parlait. Sa voix retentit dans la pièce avec une soudaineté qui me fit sursauter, couvrant le ronronnement d'un générateur. Ce n'était pas une hallucination de ma part. Il s'exprimait en langage simien, avec la voix d'un homme de la Terre ou celle d'un singe de cette planète.

La face des deux savants était l'image du triomphe. Ils me regardaient de leurs yeux pétillants de malice et jouissaient de ma stupeur. J'allais pousser une exclamation, mais ils me firent signe de me taire et d'écouter. Les paroles de l'homme étaient décousues et dépourvues d'originalité. Il devait être depuis longtemps captif de l'Institut et répétait sans cesse des bouts de phrases souvent prononcées par des infirmiers ou des savants. Cornélius fit arrêter bientôt l'expérience.

« Nous n'obtiendrons rien de plus de celui-ci ; seulement, ce point capital : il parle.

— Prodigieux, balbutiai-je.

— Vous n'avez encore rien vu ; il parle comme un perroquet ou un phonographe, dit Hélius. Mais j'ai fait beaucoup mieux avec celle-ci. »

Il me montrait la femme qui dormait paisiblement.

« Beaucoup mieux ?

— Mille fois mieux, confirma Cornélius, qui partageait la surexcitation de son collègue. Écoutez-moi bien. Cette femme parle, elle aussi ; vous allez l'entendre ; mais elle ne répète pas des paroles entendues en captivité. Ses discours ont une signification exceptionnelle. Par une combinaison de procédés physico-chimiques dont je vous épargne la description, le génial Hélius a réussi à réveiller en elle non pas seulement la mémoire individuelle, mais la mémoire de l'espèce. Ce sont les souvenirs d'une très lointaine lignée d'ancêtres qui renaissent dans son langage, sous l'excitation électrique ; des souvenirs ataviques ressuscitant un passé vieux de plusieurs milliers d'années. Comprenez-vous, Ulysse ? »

Je restai confondu par ce discours insensé, pensant

vraiment que le savant Cornélius était devenu fou ; car la folie existe chez les singes, particulièrement chez les intellectuels. Mais déjà, l'autre chimpanzé préparait ses électrodes et les appliquait sur le cerveau de la femme. Celle-ci resta un certain temps inerte, comme l'avait fait l'homme, puis elle poussa un long soupir et commença à parler. Elle s'exprimait également en langage simien, d'une voix un peu étouffée quoique très distincte, et qui se modifiait souvent, comme si elle appartenait à des personnages divers. Toutes les phrases qu'elle prononça se sont gravées dans ma mémoire.

« Ces singes, tous ces singes, disait la voix avec une nuance d'inquiétude, depuis quelque temps, il se multiplient sans cesse, alors que leur espèce semblait devoir s'éteindre à une certaine époque. Si cela continue, ils deviendront presque aussi nombreux que nous... Et il n'y a pas que cela. Ils deviennent arrogants. Ils soutiennent notre regard. Nous avons eu tort de les apprivoiser et de laisser une certaine liberté à ceux que nous utilisons comme domestiques. Ce sont ceux-là les plus insolents. L'autre jour, j'ai été bousculée dans la rue par un chimpanzé. Comme je levais la main, il m'a regardée d'un air si menaçant que je n'ai pas osé le battre.

« Anna, qui travaille au laboratoire, m'a dit que beaucoup de choses étaient changées, là aussi. Elle n'ose plus pénétrer seule dans les cages. Elle m'a affirmé que, le soir, on y entend comme des chuchotements et même des ricanements. Un des gorilles se moque du patron en imitant un de ses tics. »

La femme fit une pause, poussa plusieurs soupirs angoissés, puis reprit :

« Ça y est ! L'un d'eux a réussi à parler. C'est certain ; je l'ai lu dans le *Journal de la Femme*. Il y a sa photographie. C'est un chimpanzé.

— Un chimpanzé, le premier ! J'en étais sûr, s'écria Cornélius.

— Il y en a d'autres. Le journal en signale tous les

jours de nouveaux. Certains savants considèrent cela comme un grand succès scientifique. Ils ne voient donc pas où cela peut nous mener ? Il paraît qu'un de ces chimpanzés a proféré des injures grossières. Le premier usage qu'ils font de la parole, c'est pour protester quand on veut les faire obéir. »

La femme observa encore un silence et reprit d'une voix différente, une voix d'homme assez doctorale.

« Ce qui nous arrive était prévisible. Une paresse cérébrale s'est emparée de nous. Plus de livres ; les romans policiers sont même devenus une fatigue intellectuelle trop grande. Plus de jeux ; des réussites, à la rigueur. Même le cinéma enfantin ne nous tente plus. Pendant ce temps, les singes méditent en silence. Leur cerveau se développe dans la réflexion solitaire... et ils parlent. Oh ! peu, presque pas à nous, sauf pour quelque refus méprisant aux plus téméraires des hommes qui osent encore leur donner des ordres. Mais la nuit, quand nous ne sommes pas là, ils échangent des impressions et s'instruisent mutuellement. »

Après un autre silence, une voix de femme reprit angoissée.

« J'avais trop peur. Je ne pouvais plus vivre ainsi. J'ai préféré céder la place à mon gorille. Je me suis enfuie de ma propre maison.

« Il était chez moi depuis des années et me servait fidèlement. Peu à peu, il a changé. Il s'est mis à sortir le soir, à assister à des réunions. Il a appris à parler. Il a refusé tout travail. Il y a un mois, il m'a ordonné de faire la cuisine et la vaisselle. Il a commencé à manger dans mes assiettes, avec mes couverts. La semaine dernière, il m'a chassée de ma chambre. J'ai dû coucher sur un fauteuil, dans le salon. N'osant plus le gronder ni le punir, j'ai essayé de le prendre par la douceur. Il s'est moqué de moi et ses exigences ont augmenté. J'étais trop malheureuse. J'ai abdiqué.

« Je me suis réfugiée dans un camp, avec d'autres femmes qui sont dans le même cas que moi. Il y a des hommes, aussi ; beaucoup n'ont pas plus de courage que nous. Notre vie est misérable, hors la ville. Nous sommes honteux, ne parlant presque pas. Les premiers jours, je faisais des réussites. Je n'en ai plus la force. »

La femme s'interrompit encore et une voix mâle prit la relève.

« J'avais trouvé, je crois, le remède du cancer. Je voulais l'essayer, comme j'avais toujours fait pour mes précédentes découvertes. Je me méfiais, mais pas assez. Depuis quelque temps, les singes ne se prêtaient à ces expériences qu'avec mauvaise grâce. Je ne suis entré dans la cage de Georges, le chimpanzé, qu'après l'avoir fait empoigner par mes deux assistants. Je m'apprêtai à lui faire l'injection ; celle qui donne le cancer. Il fallait bien le lui donner afin de pouvoir le guérir. Georges avait l'air résigné. Il ne bougeait pas, mais ses yeux malins regardaient par-dessus mon épaule. J'ai compris trop tard. Les gorilles, les six gorilles que je tenais en réserve pour la peste, s'étaient libérés. Une conspiration. Ils s'emparèrent de nous. Georges commandait la manœuvre, dans notre langage. Il copiait exactement mon attitude. Il donna l'ordre de nous attacher sur la table, ce que les gorilles exécutèrent fort proprement. Alors, il s'empara de la seringue et nous injecta à tous trois le liquide mortel. Ainsi, j'ai le cancer. C'est certain ; car s'il reste des doutes sur l'efficacité du remède, le sérum fatal est au point depuis longtemps et a fait ses preuves.

« Après avoir vidé la seringue, Georges me donna une petite tape sur la joue, comme je faisais souvent avec mes singes. Je les ai toujours bien traités. Avec moi, ils récoltaient beaucoup plus de caresses que de coups. Quelques jours plus tard, dans la cage où ils m'avaient enfermé, j'ai reconnu les premiers symptômes du mal. Georges aussi et je l'ai entendu dire aux autres qu'il allait commencer la cure. Cela m'a causé une épouvante nouvelle. Pourtant, je me sais condamné. Mais je manque maintenant de confiance dans ce nouveau remède. S'il allait me faire mourir plus vite ! J'ai réussi dans la nuit à forcer la grille et à fuir. Je me suis réfugié dans

174

le camp, hors de la ville. J'ai encore deux mois à vivre. Je les emploie à faire des réussites et à somnoler. »

Une nouvelle voix féminine prit le relai.

« J'étais femme-dompteur. Je présentais un numéro de douze orangs-outans ; des bêtes magnifiques. Aujourd'hui, c'est moi qui suis dans leur cage, en compagnie d'autres artistes du cirque.

« Il faut être équitable. Les singes nous traitent bien et nous donnent à manger en abondance. Ils changent la paille de notre litière quand elle est trop sale. Ils ne sont pas méchants ; ils corrigent seulement ceux, parmi nous, qui font preuve de mauvaise volonté et refusent d'exécuter les tours qu'ils se sont mis en tête de nous apprendre. Ceux-là sont bien avancés ! Moi, je me plie à leurs fantaisies sans discuter. Je marche à quatre pattes ; je fais des cabrioles. Aussi sont-ils très gentils avec moi. Je ne suis pas malheureuse. Je n'ai plus ni soucis ni responsabilités. La plupart d'entre nous s'accommodent de ce régime. »

La femme observa cette fois un très long silence, pendant lequel Cornélius me regardait avec une insistance gênante. Je comprenais trop bien sa pensée. Une humanité aussi veule, qui se résignait si facilement, n'avait-elle pas fait son temps sur la planète et ne devait-elle pas céder la place à une race plus noble ? Je rougis et détournai les yeux. La femme reprit, sur un ton de plus en plus angoissé :

« Ils tiennent maintenant toute la ville. Nous ne sommes plus que quelques centaines dans ce réduit et notre situation est précaire. Nous formons le dernier noyau humain aux environs de la cité, mais les singes ne nous toléreront pas en liberté si près d'eux. Dans les autres camps, quelques hommes ont fui au loin, dans la jungle, les autres se sont rendus pour avoir de quoi manger à leur faim. Ici, nous sommes restés sur place, surtout par paresse. Nous dormons ; nous sommes incapables de nous organiser pour la résistance...

« C'est bien ce que je craignais. J'entends une cacophonie barbare. On dirait une parodie de musique mili-

CHAPITRE IX

Quelques-uns des résultats obtenus par Hélius ont fini par s'ébruiter. Il est probable que c'est le chimpanzé lui-même qui n'a pas su tenir sa langue, dans l'enthousiasme du succès. On murmure en ville qu'un savant a réussi à faire parler des hommes. De plus, les découvertes de la cité ensevelie sont commentées dans la presse et, quoique leur signification soit en général déformée, certains journalistes sont bien près de soupçonner la vérité. Il en résulte un malaise dans la population, qui se traduit par une méfiance accrue des dirigeants à mon égard et une attitude chaque jour un peu plus inquiétante.

Cornélius a des ennemis. Il n'ose pas proclamer franchement sa découverte. Le voudrait-il, que les autorités s'y opposeraient sans doute. Le clan orang-outan, Zaïus en tête, intrigue contre lui. Ils parlent de conspiration contre la race simienne et me désignent plus ou moins ouvertement comme un des factieux. Les gorilles n'ont pas encore pris position officiellement, mais ils sont toujours contre ce qui tend à troubler l'ordre public.

J'ai éprouvé aujourd'hui une grande émotion. L'événement tant attendu s'est produit. J'ai d'abord été transporté de joie, mais à la réflexion, j'ai frémi devant le nouveau danger qu'il représente. Nova a donné le jour à un garçon.

177

J'ai un enfant, j'ai un fils sur la planète Soror. Je l'ai vu. Cela n'a pas été sans difficultés. Les consignes de secret sont devenues de plus en plus sévères et je n'ai pu rendre visite à Nova durant la semaine qui a précédé sa délivrance. C'est Zira qui m'a apporté la nouvelle. Elle, au moins, restera une amie fidèle, quoi qu'il arrive. Elle m'a trouvé si agité qu'elle a pris sur elle de me ménager une entrevue avec ma nouvelle famille. C'est quelques jours après la naissance qu'elle m'a conduit vers elle, tard dans la nuit, car le nouveau-né est sans cesse surveillé dans la journée.

Je l'ai vu. C'est un bébé magnifique. Il était étendu sur la paille, comme un nouveau Christ, pelotonné contre le sein de sa mère. Il me ressemble, mais il a aussi la beauté de Nova. Celle-ci a émis un grognement menaçant quand j'ai poussé la porte. Elle est inquiète, elle aussi. Elle s'est dressée, les ongles prêts à déchirer, mais s'est calmée en me reconnaissant. Je suis certain que cette naissance l'a fait remonter de plusieurs degrés dans l'échelle des êtres. L'étincelle fugitive a fait place à une flamme permanente. J'embrasse mon fils avec passion, sans vouloir songer aux nuages qui s'accumulent sur nos têtes.

Ce sera un homme, un vrai, j'en suis certain. L'esprit pétille sur ses traits et dans son regard. J'ai rallumé le feu sacré. Grâce à moi, une humanité ressuscite et va s'épanouir sur cette planète. Quand il sera grand, il fera souche et...

Quand il sera grand ! Je frissonne en songeant aux conditions de son enfance et à tous les obstacles qui vont s'élever sur son chemin. Qu'importe ! à nous trois, nous triompherons, j'en suis sûr. Je dis à nous trois, car Nova est maintenant de notre bord. Il n'y a qu'à voir la manière dont elle contemple son enfant. Si elle le lèche encore, à la façon des mères de cette étrange planète, sa physionomie s'est spiritualisée.

Je l'ai reposé sur la paille. Je suis rassuré sur sa nature. Il ne parle pas encore, mais... je divague ; il a trois jours !... mais il parlera. Le voilà qui se met à pleurer faiblement, à pleurer comme un bébé d'homme et non à vagir. Nova ne s'y trompe pas et le contemple dans une extase émerveillée.

Zira ne s'y méprend pas davantage. Elle s'est approchée, ses oreilles velues se sont dressées et elle regarde longtemps le bébé, en silence, d'un air grave. Puis, elle me fait comprendre que je ne peux rester plus longtemps. Ce serait trop dangereux pour nous tous si l'on me surprenait ici. Elle me promet de veiller sur mon fils et je sais qu'elle tiendra parole. Mais je n'ignore pas non plus qu'elle est soupçonnée de complaisance envers moi et l'éventualité de son renvoi me fait frémir. Je ne dois pas lui faire courir ce risque.

J'embrasse ma famille avec ferveur et je m'éloigne. En me retournant, je vois la guenon se pencher, elle aussi, sur ce bébé d'homme et poser doucement le museau sur son front, avant de fermer la cage. Et Nova ne proteste pas ! Elle admet cette caresse, qui doit être habituelle. Songeant à l'antipathie qu'elle témoignait autrefois à Zira, je ne puis m'empêcher de voir là un nouveau miracle.

Nous sortons. Je tremble de tous mes membres et je m'aperçois que Zira est aussi émue que moi.

« Ulysse, s'écrie-t-elle en essuyant une larme, il me semble parfois que cet enfant est aussi le mien ! »

CHAPITRE X

Les visites périodiques que je m'astreins à faire au professeur Antelle sont un devoir de plus en plus pénible. Il est toujours à l'Institut, mais on à dû l'enlever de la cellule assez confortable où j'avais obtenu qu'on le logeât. Il y dépérissait et avait de temps en temps des accès de rage qui le rendaient dangereux. Il cherchait à mordre les gardiens. Alors Cornélius a essayé un autre système. Il l'a fait placer dans une cage ordinaire, sur la paille, et lui a donné une compagne : la fille avec laquelle il dormait au jardin zoologique. Le professeur l'a accueillie en manifestant bruyamment une joie animale et, aussitôt, ses façons ont changé. Il a repris goût à la vie.

C'est en cette compagnie que je le trouve. Il a l'air heureux. Il a engraissé et paraît plus jeune. J'ai fait l'impossible pour entrer en communication avec lui. J'essaie encore aujourd'hui, sans aucun succès. Il ne s'intéresse qu'aux gâteaux que je lui tends. Quand le sac est vide, il retourne s'allonger auprès de sa compagne, qui se met à lui lécher le visage.

« Vous voyez bien que l'esprit peut se perdre, comme il peut s'acquérir », murmure quelqu'un derrière moi.

C'est Cornélius. Il me cherchait, mais non pour s'entretenir du professeur. Il a à me parler très sérieusement. Je le suis dans son bureau, où Zira nous attend. Elle a les yeux rouges, comme si elle avait pleuré. Ils semblent avoir une nouvelle grave à m'apprendre, mais aucun des deux n'ose parler.

« Mon fils ?

— Il va très bien, dit Zira précipitamment.

— *Trop bien* », fait Cornélius d'un air grognon.

Je sais bien que c'est un enfant superbe, mais voilà un mois que je ne l'ai vu. Les consignes ont été encore renforcées. Zira, suspecte aux autorités, est surveillée étroitement.

« Beaucoup trop bien, insiste Cornélius. Il sourit. Il pleure comme un bébé singe... et il commence à parler.

— A trois mois !

— Des mots d'enfant ; mais tout prouve qu'il parlera. En fait, il est miraculeusement précoce. »

Je me rengorge. Zira est indignée par mon air de père béat.

« Tu ne comprends donc pas que c'est une catastrophe ? Jamais les autres ne le laisseront en liberté.

— Je sais de source sûre que des décisions très importantes vont être prises à son sujet par le Grand Conseil, qui doit siéger dans quinze jours, dit lentement Cornélius.

— Des décisions graves ?

— Très graves. Il n'est pas question de le supprimer... pas pour l'instant du moins ; mais on le retirera à sa mère.

— Et moi, moi, pourrai-je le voir ?

— Vous, moins que tout autre... mais laissez-moi poursuivre, continue impérieusement le chimpanzé. Nous ne sommes pas ici pour nous lamenter, mais pour agir. Donc, j'ai des renseignements certains. Votre fils va être placé dans une sorte de forteresse, sous la surveillance des orangs-outans. Oui, Zaïus intrigue depuis longtemps et il va obtenir gain de cause. »

Ici, Cornélius serra les poings avec rage et marmonna quelques injures malsonnantes. Puis il reprit :

« Remarquez que le Conseil sait très bien à quoi s'en tenir sur la valeur scientifique de ce cuistre ; mais il feint de croire qu'il est plus qualifié que moi pour étudier ce sujet exceptionnel, parce que celui-ci est considéré comme un péril pour notre race. Ils comptent sur Zaïus pour le mettre dans l'impossibilité de nuire. »

Je suis atterré. Il n'est pas possible de laisser mon fils aux mains de ce dangereux imbécile. Mais Cornélius n'a pas terminé.

« Ce n'est pas seulement l'enfant qui est menacé. »

Je reste muet et regarde Zira, qui baisse la tête.

« Les orangs-outans vous détestent parce que vous êtes la preuve vivante de leurs errements scientifiques, et les gorilles vous trouvent trop dangereux pour continuer à circuler librement. Ils craignent que vous ne fassiez souche sur cette planète. Même en faisant abstraction de votre éventuelle descendance, ils ont peur que votre seul exemple ne sème la perturbation chez les hommes. Certains rapports signalent une nervosité inaccoutumée parmi ceux que vous approchez. »

C'est vrai. Au cours de ma dernière visite dans la salle des cages, je me suis aperçu d'un changement notable parmi les hommes. Il semble qu'un instinct mystérieux les ait avertis de la naissance miraculeuse. Ils ont salué ma présence par un concert de longs ululements.

« Pour tout vous dire, conclut brutalement Cornélius, j'ai bien peur que, dans quinze jours, le Conseil ne décide de vous supprimer... ou du moins de vous enlever une partie du cerveau, sous prétexte d'expériences. Quant à Nova, je pense qu'il sera décidé de la mettre hors d'état de nuire, elle aussi, parce qu'elle vous a approché de trop près. »

Ce n'est pas possible ! Moi qui m'étais cru investi d'une mission quasi divine. Je redeviens le plus misérable des êtres et me laisse aller à un affreux désespoir. Zira me met la main sur l'épaule.

« Cornélius a bien fait de ne rien te cacher de la situation. Ce qu'il ne t'a pas encore dit, c'est que nous ne t'abandonnerons pas. Nous avons décidé de vous sauver tous les trois et nous serons aidés par un petit groupe de chimpanzés courageux]

— Que puis-je faire, seul de mon espèce ?

— Il faut fuir. Il faut quitter cette planète où tu n'aurais jamais dû venir. Il faut retourner chez toi, sur la Terre. Ton salut et celui de ton fils l'exigent. »

Sa voix se brise, comme si elle allait pleurer. Elle m'est encore plus attachée que je ne l'aurais cru. Je suis bouleversé, moi aussi, autant par son chagrin que par la perspective de la quitter pour toujours. Mais comment m'évader de cette planète ? Cornélius reprend la parole.

« C'est vrai, dit-il. J'ai promis à Zira de vous aider à fuir et je le ferai, même si je dois y perdre ma situation. J'ai conscience ainsi de ne pas manquer à mon devoir de singe. Si un danger nous menace, il sera aussi bien écarté par votre retour, sur la Terre... Vous m'avez dit, autrefois, que votre vaisseau spatial était intact et qu'il pourrait vous ramener chez vous ?

— Sans aucun doute. Il contient assez de carburant, d'oxygène et de vivres pour nous conduire au fond de l'univers. Mais comment le rejoindre ?

— Il gravite toujours autour de notre planète. Un astronome de mes amis l'a repéré et connaît tous les éléments de sa trajectoire. Quant au moyen de le rejoindre ?... Écoutez-moi. Dans dix jours, exactement, nous devons lancer un satellite artificiel habité, par des hommes bien entendu, sur lesquels nous désirons expérimenter l'influence de certains rayonnements... Ne m'interrompez pas ! Il a été prévu que les passagers seront au nombre de trois : un homme, une femme et un enfant. »

Je saisis son dessein en un éclair et en apprécie l'ingéniosité, mais que d'obstacles !

« Certains savants responsables de ce lancement sont des amis à moi et je les ai gagnés à votre cause. Le satellite sera placé sur la trajectoire de votre vaisseau et il sera dirigeable dans une certaine mesure. Le couple d'humains a été entraîné à effectuer quelques manœuvres, au moyen de réflexes conditionnés. Je pense que vous serez encore plus habile qu'eux... Car tel est notre plan : vous substituer tous trois aux passagers. Cela ne sera pas difficile. Je vous l'ai dit, j'ai déjà les complicités essentielles : l'assassinat répugne aux chimpanzés. Les autres ne s'apercevront même pas du tour joué. »

C'est bien probable, en effet. Pour la plupart des singes, un hommes est un homme et rien de plus. Les différences entre un individu et un autre ne les frappent pas.

« Je vous ferai suivre un entraînement intensif pendant ces dix jours. Croyez-vous pouvoir aborder votre vaisseau ? »

Cela doit être possible. Mais ce n'est pas aux difficultés et aux dangers que je songe en ce moment. Je ne puis me défendre contre la vague de mélancolie qui m'a assailli tout à l'heure, à la pensée de quitter la planète Soror, Zira et mes frères, oui, mes frères humains. Vis-à-vis de ceux-ci, je me fais un peu l'effet d'un déserteur. Pourtant, il faut avant tout sauver mon fils et Nova. Mais je reviendrai. Oui, plus tard, j'en fais le serment en évoquant les prisonniers des cages, je reviendrai avec d'autres atouts.

Je suis si éperdu que j'ai parlé tout haut.

Cornélius sourit.

« Dans quatre ou cinq ans de votre temps à vous, voyageur, mais dans plus de mille années pour nous autres sédentaires. N'oubliez pas que nous avons aussi découvert la relativité. D'ici là... j'ai discuté du risque avec mes amis chimpanzés et nous avons décidé de le prendre. »

Nous nous séparons, après avoir pris rendez-vous pour le lendemain. Zira sort la première. Resté un instant seul avec lui, j'en profite pour le remercier avec effusion. Je me demande intérieurement pourquoi il fait tout cela pour moi. Il lit dans ma pensée.

« Remerciez Zira, dit-il. C'est à elle que vous devez la vie. Seul, je ne sais pas si j'aurais pris tant de peine et couru tant de risques. Mais elle ne me pardonnerait jamais d'être complice d'un meurtre... et, d'autre part... »

Il hésite. Zira m'attend dans le couloir. Il s'assure

qu'elle ne peut entendre et ajoute très vite, à voix basse :

« D'autre part, pour elle comme pour moi, il est préférable que vous disparaissiez de cette planète. »

Il a repoussé la porte. Je suis resté seul avec Zira et nous faisons quelques pas dans le couloir.

« Zira ! »

Je me suis arrêté et l'ai prise dans mes bras. Elle est aussi bouleversée que moi. Je vois une larme couler sur son mufle, tandis que nous sommes étroitement enlacés. Ah ! qu'importe cette horrible enveloppe matérielle ! C'est son âme qui communie avec la mienne. Je ferme les yeux pour ne pas voir ce faciès grotesque que l'émotion enlaidit encore. Je sens son corps difforme trembler contre le mien. Je me force à appuyer ma joue contre sa joue. Nous allons nous embrasser comme deux amants, quand elle a un sursaut instinctif et me repousse avec violence.

Alors que je reste interdit, ne sachant quelle contenance prendre, elle enfouit son museau dans ses longues pattes velues, et cette hideuse guenon me déclare avec désespoir, en éclatant en sanglots.

« Mon chéri, c'est impossible. C'est dommage, mais je ne peux pas, je ne peux pas. Tu es vraiment trop affreux ! »

CHAPITRE XI

Le tour est joué. Je vogue de nouveau dans l'espace, à bord du vaisseau cosmique, filant comme une comète en direction du système solaire, avec une vitesse qui s'accroît à chaque seconde.

Je ne suis pas seul. J'emmène avec moi Nova et Sirius, le fruit de nos amours interplanétaires, qui sait dire papa, maman et bien d'autres mots. Il y a également à bord un couple de poulets et de lapins, et aussi diverses graines, que les savants avaient mis dans le satellite pour étudier le rayonnement sur des organismes très divers. Tout cela ne sera pas perdu.

Le plan de Cornélius a été exécuté à la lettre. Notre substitution au trio prévu s'est faite sans difficultés. La femme a pris la place de Nova à l'Institut ; l'enfant sera remis à Zaïus. Celui-ci montrera qu'il ne peut parler et qu'il n'est qu'un animal. Peut-être alors ne me jugera-t-on plus dangereux et laissera-t-on la vie à l'homme qui a pris ma place et qui ne parlera pas, lui non plus. Il est peu probable qu'on se doute jamais de la substitution. Les orangs, je l'ai déjà mentionné, ne font pas de différence entre un homme et un autre. Zaïus triomphera. Cornélius aura peut-être quelques ennuis, mais tout sera vite oublié... Que dis-je ! C'est déjà oublié, car des lustres se sont écoulés là-bas depuis les quelques mois que je fonce dans l'espace. Quant à moi, mes souvenirs s'estompent rapidement, de la même manière que le corps matériel de la super-géante Bételgeuse, à mesure que l'espace-temps s'étire entre nous : le monstre s'est transformé en un petit ballon, puis en une orange. Il est redevenu maintenant un minuscule point brillant de la galaxie. Ainsi en va-t-il de mes pensées sororiennes.

Je serais bien fou de me tourmenter. J'ai réussi à sauver les êtres qui me sont chers. Qui regretterais-je là-bas ? Zira ? Oui, Zira. Mais le sentiment qui était né entre nous n'avait pas de nom sur la Terre ni dans aucune région du Cosmos. La séparation s'imposait. Elle a dû retrouver la paix en élevant des bébés chimpanzés, après avoir épousé Cornélius. Le professeur Antelle ? Au diable, le professeur ! Je ne pouvais plus rien faire pour lui et il a apparemment trouvé une solution satisfaisante au problème de l'existence. Je frémis seulement parfois en songeant que, placé dans les mêmes conditions que lui, et sans la présence de Zira, j'aurais pu moi aussi, peut-être, tomber aussi bas.

L'abordage de notre vaisseau s'est bien passé. J'ai pu m'en approcher peu à peu, en manœuvrant le satellite, pénétrer dans le compartiment resté béant, prévu pour le retour de notre chaloupe. Alors, les robots sont entrés en action pour refermer toutes les issues. Nous étions à bord. L'appareillage était intact et le calculateur électronique se chargea de faire toutes les opérations du départ. Sur la planète Soror, nos complices ont prétendu que le satellite avait été détruit en vol, n'ayant pu être placé sur son orbite.

Nous sommes en route depuis plus d'un an de notre temps propre. Nous avons atteint la vitesse de la lumière à une fraction infinitésimale près, parcouru en un temps très court un espace immense et c'est déjà la période de freinage, qui doit durer une autre année. Dans notre petit univers, je ne me lasse pas d'admirer ma nouvelle famille.

Nova supporte fort bien le voyage. Elle devient de

plus en plus raisonnable. Sa maternité l'a transformée. Elle passe des heures en contemplation béate devant son fils, qui se révèle pour elle un meilleur professeur que moi. Elle articule presque correctement les mots qu'il prononce. Elle ne me parle pas encore à moi, mais nous avons établi un code de gestes suffisants pour nous comprendre. Il me semble que j'ai toujours vécu avec elle. Quant à Sirius, c'est la perle du cosmos. Il a un an et demi. Il marche, malgré la forte pesanteur et il babille sans cesse. J'ai hâte de le montrer aux hommes de la Terre.

Quelle émotion j'ai ressentie ce matin en constatant que le soleil commençait à prendre une dimension perceptible ! Il nous apparaît maintenant comme une boule de billard et se teinte de jaune. Je le montre du doigt à Nova et à Sirius. Je leur explique ce qu'est ce monde nouveau pour eux et ils me comprennent. Aujourd'hui, Sirius parle couramment et Nova, presque aussi bien. Elle a appris en même temps que lui. Miracle de la maternité ; miracle dont j'ai été l'agent. Je n'ai pas arraché tous les hommes de Soror à leur avilissement, mais la réussite est totale avec Nova.

Le soleil grossit à chaque instant. Je cherche à repérer les planètes dans le télescope. Je m'oriente facilement. Je découvre Jupiter, Saturne Mars et... la Terre. Voici la Terre !

Des larmes me montent aux yeux. Il faut avoir vécu plus d'un an sur la planète des singes pour comprendre mon émotion... Je sais ; après sept cents ans, je ne retrouverai ni parents ni amis, mais je suis avide de revoir de véritables hommes.

Collés aux hublots, nous regardons la Terre s'approcher. Il n'est plus besoin de télescope pour distinguer les continents. Nous sommes satellisés. Nous tournons autour de ma vieille planète. Je vois défiler l'Australie, l'Amérique et la France ; oui, voici la France. Nous nous embrassons tous trois en sanglotant.

Nous nous embarquons dans la deuxième chaloupe

du vaisseau. Tous les calculs ont été effectués en vue d'un atterrissage dans ma patrie ; non loin de Paris, j'espère.

Nous sommes dans l'atmosphère. Les rétrofusées entrent en action. Nova me regarde en souriant. Elle a appris à sourire et aussi à pleurer. Mon fils tend les bras et ouvre des yeux émerveillés. Au-dessous de nous, c'est Paris. La tour Eiffel est toujours là.

J'ai pris les commandes et me dirige d'une manière très précise. Miracle de la technique ! Après sept cents ans d'absence, je parviens à me poser à Orly, qui n'a pas beaucoup changé, au bout du terrain, assez loin des bâtiments. On a dû m'apercevoir ; je n'ai qu'à attendre. Il ne semble pas y avoir de trafic aérien ; l'aéroport serait-il désaffecté ? Non, voici un appareil. Il ressemble en tout point aux avions de mon époque !

Un véhicule se détache des bâtiments, roulant dans notre direction. J'arrête mes fusées, en proie à une agitation de plus en plus fébrile. Quel récit je vais pouvoir faire à mes frères humains ! Peut-être ne me croiront-ils pas tout d'abord, mais j'ai des preuves. J'ai Nova, j'ai mon fils.

Le véhicule grandit. C'est une camionnette d'un modèle assez ancien : quatre roues et un moteur à explosion. J'enregistre machinalement tous ces détails. J'aurais pensé que ces voitures étaient reléguées dans les musées.

J'aurais imaginé volontiers aussi une réception un peu plus solennelle. Ils sont peu nombreux pour m'accueillir. Deux hommes seulement, je crois. Je suis stupide ; ils ne peuvent pas savoir. Quand ils sauront !...

Ils sont deux. Je les distingue assez mal, à cause du soleil déclinant qui joue sur les vitres ; des vitres sales. Le chauffeur et un passager. Celui-ci porte un uniforme. C'est un officier ; j'ai vu le reflet de ses galons. Le commandant de l'aéroport, sans doute. Les autres suivront.

La camionnette s'est arrêtée à cinquante mètres de nous. Je prends mon fils dans mes bras et sort de la chaloupe. Nova nous suit avec quelque hésitation. Elle a l'air craintive. Cela lui passera vite.

Le chauffeur est descendu. Il me tourne le dos. Il m'est à moitié caché par de hautes herbes qui me séparent de la voiture. Il tire la portière pour faire descendre le passager. Je ne m'étais pas trompé, c'est un officier ; au moins un commandant ; je vois briller de nombreux galons. Il a sauté à terre. Il fait quelques pas vers nous, sort des herbes et m'apparaît enfin en pleine lumière. Nova pousse un hurlement, m'arrache son fils et court se réfugier avec lui dans la chaloupe, tandis que je reste cloué sur place, incapable de faire un geste ni de proférer une parole.

C'est un gorille.

CHAPITRE XII

Phyllis et Jinn relevèrent ensemble leur tête penchée sur le manuscrit et se regardèrent un long moment sans prononcer une parole.

« Une belle mystification », dit enfin Jinn, en se forçant un peu pour rire.

Phyllis restait rêveuse. Certains passages de l'histoire l'avaient émue et elle leur trouvait l'accent de la vérité. Elle en fit la remarque à son ami.

« Cela prouve qu'il y a des poètes partout, dans tous les coins du cosmos ; et aussi des farceurs. »

Elle réfléchit encore. Cela lui coûtait de se laisser convaincre. Elle s'y résigna cependant avec un soupir.

« Tu as raison, Jinn. Je suis de ton avis... Des hommes raisonnables ? Des hommes détenteurs de la sagesse ? Des hommes inspirés par l'esprit ?... Non, ce n'est pas possible ; là, le conteur a passé la mesure. Mais c'est dommage !

— Tout à fait d'accord, dit Jinn. Maintenant, il est temps de rentrer. »

Il largua toute la voile, l'offrant tout entière aux rayonnements conjugués des trois soleils. Puis il commença de manœuvrer des leviers de commande, utilisant ses quatre mains agiles, tandis que Phyllis, ayant chassé un dernier doute en secouant énergiquement ses oreilles velues, sortait son poudrier et, en vue du retour au port, avivait d'un léger nuage rose son admirable mufle de chimpanzé femelle.

Achevé d'imprimer en octobre 1992
sur les presses de l'Imprimerie Bussière
à Saint-Amand (Cher)

PRESSES POCKET - 12, avenue d'Italie - 75627 Paris Cedex 13
Tél. : 44-16-05-00

— N° d'imp. 2294. —
Dépôt légal : mai 1990.

Imprimé en France